Georges Simenon, écrivain belge de langue française, est né à Liège en 1903. Il est l'un des auteurs les plus traduits au monde. À seize ans, il devient journaliste à *La Gazette de Liège*. Son premier roman, publié sous le pseudonyme de Georges Sim, paraît en 1921 : *Au pont des Arches, petite histoire liégeoise*. En 1922, il s'installe à Paris et écrit des contes et des romans populaires. Près de deux cents romans, un bon millier de contes écrits sous pseudonymes et de très nombreux articles, souvent illustrés de ses propres photos, sont parus entre 1923 et 1933... En 1930, Simenon rédige son premier Maigret : *Pietr le Letton*. Lancé par les éditions Fayard en 1931, le personnage du commissaire Maigret rencontre un immense succès. Simenon écrira en tout soixante-quinze romans mettant en scène les aventures de Maigret (ainsi que vingt-huit nouvelles). Dès 1930, Simenon commence aussi à écrire ce qu'il appellera ses « romans durs » : plus de cent dix titres, du *Passager du Polarlys* (1930) aux *Innocents* (1972). Parallèlement à cette activité littéraire foisonnante, il voyage beaucoup. À partir de 1972, il cesse d'écrire des romans. Il se consacre alors à ses vingt-deux *Dictées*, puis rédige ses *Mémoires intimes* (1981). Simenon s'est éteint à Lausanne en 1989. Il fut le premier romancier contemporain dont l'œuvre fut portée au cinéma dès le début du parlant avec *La Nuit du carrefour* et *Le Chien jaune*, parus en 1931 et adaptés l'année suivante. Plus de quatre-vingts de ses romans ont été portés au grand écran (*Monsieur Hire* avec Michel Blanc, *Feux rouges* de Cédric Kahn, ou encore *L'Homme de Londres* de Béla Tarr), et, à la télévision, les différentes adaptations de Maigret ou, plus récemment, celles de romans durs (*Le Petit Homme d'Arkhangelsk*, devenu *Monsieur Joseph*, avec Daniel Prévost, *La Mort de Belle* avec Bruno Solo) ont conquis des millions de téléspectateurs.

GEORGES SIMENON

Le Fils

PRESSES DE LA CITÉ

Un des personnages de ce roman exerce la profession de préfet et j'ai fatalement dû le mettre à la tête d'une Préfecture. J'ai choisi celle de La Rochelle. Il est évident que mon préfet n'a rien de commun avec le fonctionnaire qui occupait ce poste en 1928, date à laquelle se place une partie de mon récit – et dont j'ignore même le nom. Bien entendu, les autres personnages sont fictifs, eux aussi.

Georges SIMENON.

1

Novembre 1956.

Mon fils,

Est-ce que ces deux mots-là te font sourire ? Suffisent-ils à trahir ma gêne ? Je n'ai pas l'habitude de t'écrire. Au fait, je me rends soudain compte que je ne t'ai plus écrit depuis le temps où, enfant, tu partais en vacances plus tôt que moi avec ta mère et où je t'envoyais de courts billets. Je commençais le plus souvent par « Fiston », parfois par « Grand garçon », quelquefois, je m'en souviens, par « Petit homme ». Dans la vie de tous les jours je dis « fils » et, quand j'ai essayé d'écrire ce mot seul en haut de ma page, il m'a paru à la fois nu et solennel. « Mon fils », d'autre part, me fait penser à un testament.

Il faut pourtant que je commence et c'est un peu comme, quand je te rejoins dans ta chambre, le soir, où je te trouve à étudier devant tes livres et tes cahiers, je vais et je viens, m'assieds au bord de ton lit en toussotant, finis par allumer une cigarette.

Ce qui, malgré moi, m'impressionne le plus, c'est que j'ignore quand tu liras ceci et ce qui va probablement suivre. Ma première idée a été de te parler, d'entrer chez toi à l'heure habituelle, entre la fin du dîner et le moment du coucher, de m'asseoir sur ton lit et d'attendre que, comme à ton habitude, tu lèves la tête, la tournes un peu de côté en murmurant :

— Ça va ?

Nous n'avons jamais grand-chose à nous dire. Plus exactement, nous n'éprouvons pas le besoin de le dire. Ou est-ce que nous n'en trouvons pas le moyen ? Ou encore qu'une pudeur nous en empêche ? Je ne sais pas. Peut-être qu'en t'écrivant j'obtiendrai la réponse à cette question, comme à d'autres que je me suis souvent posées ?

Toujours est-il que plusieurs fois, ces derniers jours, j'ai ouvert ta porte avec l'intention de parler. Depuis le 23 octobre, exactement, ce matin où nous avons enterré mon père. Je connais le moment précis où j'ai pris cette décision. C'était dans la banale église du Vésinet, où nous nous tenions côte à côte… au premier rang, à droite du catafalque, pendant que retentissait le *Dies irae*. Ta mère et ma sœur étaient de l'autre côté de l'allée, avec les femmes. Pierre Vachet, ton oncle, nous attendait dehors.

Ce n'était pas une grande cérémonie, mais une simple absoute, avec un prêtre, deux enfants de chœur et l'organiste qui faisait office de chantre. Dehors, il pleuvait. Nous venions de marcher, derrière le corbillard, de la villa à l'église, et je m'étais soudain rendu compte que tu étais plus grand que moi. Grand et mince, dans ton nouveau pardessus sombre, d'un gris presque noir. Sous tes cheveux rejetés en arrière et que ta mère trouve trop longs, ton visage m'a paru maigre, les narines pincées, les yeux étonnamment fixes.

Nous étions une trentaine dans l'église froide où les pas laissaient des traces luisantes sur les dalles. Six cierges étaient allumés autour du catafalque.

Combien de fois, dans toute ta vie, t'est-il arrivé d'entrer dans une église? Connais-tu seulement la signification des rites qui se déroulaient autour de nous, des répons du prêtre et de ses acolytes?

La dernière fois que nous nous sommes trouvés ensemble dans les mêmes circonstances, c'était quelques mois plus tôt, le 23 janvier (un 23 aussi, cela m'a frappé), et c'était ma mère – ta grand-mère –, la femme de l'homme qui se trouvait maintenant sous le drap noir à croix d'argent du catafalque, que nous enterrions alors.

Aux obsèques de ta grand-mère, je n'avais guère pris garde à toi; je te considérais encore comme un enfant, malgré tes seize ans tout proches.

Or, soudain, en t'observant à la dérobée, j'ai cru découvrir que c'était un homme que j'avais à mon côté, un homme qui pensait, qui observait, qui jugeait, un être humain qui, depuis longtemps peut-être, pensait et jugeait.

À la maison mortuaire, dans cette villa Magali vieillotte et délabrée où aucun des nôtres ne vivra désormais, qui ne nous sera plus rien, tu n'as pas prononcé une parole, mais tu n'as cessé de regarder autour de toi comme si chaque détail se gravait à jamais dans ton esprit.

Les jours précédents, tu as assisté à certaines discussions de famille au sujet de ces obsèques et tu nous as écoutés sans ouvrir la bouche, sans émettre d'opinion. Est-ce que je me trompe en disant qu'il y avait chez toi de l'agacement, peut-être la hâte qu'on finisse avec des questions qui te paraissent sordides, sinon odieuses ?

Que pensais-tu, les derniers mois, quand, le dimanche, je te demandais, presque suppliant :

— Viens avec moi dire bonjour à ton grand-père. Tu n'aurais pas besoin de rester plus de quelques minutes. Cela lui fera tant plaisir !

Tu m'accompagnais sans enthousiasme. Je soupçonne que tu m'en voulais de t'imposer cette corvée.

Je ne t'accuse de rien, fils. Je crois même que je comprends. Mais il y a des choses que je voudrais que tu saches. À la fois pour toi, pour moi et pour lui, pour l'homme qui était sous le catafalque et que nous avons suivi ensuite, en compagnie de ton oncle, cette fois, au cimetière.

Ce n'est pas seulement par gêne, ni par pudeur, qu'en fin de compte je ne me suis pas expliqué de vive voix. En tête à tête, je me serais sans doute contenté de te mettre au courant de certains faits, et l'un comme l'autre nous aurions eu hâte d'en finir.

Or, il n'y a pas que les faits.

Hier soir, j'ai décidé que je t'écrirais, puis que je déposerais mon message sur ta table sans jamais plus t'en parler, me contentant de chercher une réponse dans ton regard.

Je ne suis déjà plus si sûr d'agir de la sorte et je me demande si je n'attendrai pas. Attendre quoi ? Non pas que tu sois plus mûr, rassure-toi, car, encore une fois, j'ai cessé de te considérer comme un enfant.

Attendre, tout bonnement. Peut-être un moment propice ? Qui sait ? Attendre que tu sois marié, père de famille à ton tour, que tu aies pris tes décisions, tes responsabilités ?

S'il reste possible que ce soit le Jean-Paul de seize ans que je connais qui lise ces lignes, il est possible aussi que ce soit un homme de trente ans, de quarante, voire un homme de mon âge (j'ai maintenant quarante-huit ans). Car, à supposer que je ne te laisse ce message qu'à ma mort, il n'est pas impensable que je vive aussi vieux que ma mère, qui nous a quittés à quatre-vingt-un ans, que mon père, qui en avait soixante-dix-sept.

N'aie pas peur : je ne suis pas en train de m'attendrir. Je suis un Lefrançois, comme tu en es un, comme mon père était, avant moi, un Lefrançois, et son père avant lui.

Cela me fait sourire, au contraire, d'un sourire sans mélancolie, de t'imaginer à mon âge, te préoccupant peut-être à ton tour de ce que ton fils pense de toi et de son grand-père.

Paradoxalement, ce n'est pas par le passé que je vais commencer, alors que c'est du passé qu'il s'agit, mais par notre vie actuelle, que tu connais ou crois connaître aussi bien que moi. Si j'éprouve ce besoin, n'est-ce pas parce que le présent me fait comprendre le passé en me le montrant sous un autre jour ?

Je n'en sais rien. C'est une formule que j'aurai sans doute souvent à employer, comme le mot « peut-être », car, si je me suis décidé à écrire, c'est justement pour m'avancer sur un terrain pas sûr et pour exprimer des pensées et des sentiments qui doivent être en moi depuis longtemps, mais dont je n'ai pas toujours une conscience nette.

Comment dire ? Nous formons à présent une famille, ta mère, toi, ma sœur Arlette – que nous ne voyons pas souvent mais qui n'en est pas moins ta tante – et son mari Vachet, qui est ton oncle.

Jusqu'à il y a un peu plus de six mois, il y avait en outre ta grand-mère et ton grand-père.

C'est tout ce que tu as connu, ce que tu as connu de nous, et, de cette famille, tu as une vision à toi, qui m'échappe et qui m'échappera toujours.

J'ai grandi, moi, dans une famille encore plus réduite que la tienne : mon père, ma mère, ma sœur, avec, loin de nous, des gens qui n'apparaissaient qu'à de rares occasions, comme mes deux grands-pères et cinq tantes, toutes mariées, du côté de ma mère.

À quel moment ai-je découvert que je faisais partie d'un tout, que chaque portion de ce tout avait des influences sur moi et en aurait sur ma vie ultérieure ?

Je me suis posé la question récemment et il m'a semblé que cette révélation m'est venue tard, vers l'âge de vingt ans, à peu près à l'époque des événements dont je vais te parler.

Tu n'as que seize ans, certes, mais, à tes regards le jour de l'enterrement, je jurerais que tu en es arrivé au point où j'en étais alors.

Comprends-tu mieux pourquoi il serait difficile, voire dangereux, d'avoir un entretien avec toi comme cela a été ma première intention ? J'aurais été obligé de te poser des questions et, même si je ne les avais pas posées, tu te serais cru tenu d'approuver ou d'infirmer mes hypothèses.

Qu'aurais-tu dit, par exemple, si je t'avais demandé :

— Qu'est-ce que tu penses de ton grand-père ?

Et de nous, de ta mère, de moi, de la vie que nous menons, de l'homme que je parais être, de celui que je suis ?

Or, cette famille que j'ai découverte voilà près de trente ans et qui était la mienne, c'était la tienne aussi, que tu découvres à ton tour avec tes yeux de seize ans ; c'est la même famille qui continue et dans laquelle, presque sans s'en rendre compte, on change de place.

Cette famille-là, sans commencement ni fin, a ses cycles, comme les marées ou les mouvements planétaires, ses hauts et ses bas, ses montées et ses descentes, ses époques heureuses et ses époques grises.

Et je pense que ce ne sont pas tant les naissances et les morts qui marquent les étapes que les tournants, ce que j'appellerais les époques du « choix ».

Un moment vient où chacun se trouve devant la nécessité de fixer sa destinée, de faire le geste qui comptera et sur lequel il ne pourra plus revenir.

Cela m'est arrivé à vingt ans.

Je ne prétends pas que cela t'arrivera plus tôt. Je ne le souhaite pas. Seulement – et je m'excuse de tant me répéter – l'autre matin, à l'église du Vésinet, j'ai eu l'impression que ta vie avait commencé ou était sur le point de commencer.

Je l'avais déjà soupçonné lors de mes discussions avec ton oncle et j'ai essayé de savoir, d'après ton regard, à qui, de lui ou de moi, tu donnais raison.

Ton grand-père, on l'a assez répété ce jour-là, était ce qu'on appelait encore au début du siècle un athée et il appartenait à une loge maçonnique. Je n'ai jamais reçu, plus que toi, d'éducation religieuse, mais je m'empresse d'ajouter que je n'ai jamais entendu non plus, chez moi, attaquer la religion.

Ta grand-mère, qui n'était pas pratiquante au temps où je vivais avec elle, est devenue pieuse durant ses dernières années et a demandé des obsèques catholiques.

Déjà, à ce moment-là, Vachet, ton oncle, a protesté, moins par conviction, j'en suis persuadé, que par crainte que cela nuise à sa position politique.

Tu n'étais pas présent lorsqu'il s'en est pris à ton grand-père, dans la villa du Vésinet où l'on n'avait pas eu le temps d'aménager la chapelle ardente et où ma mère reposait sur un lit, un bandeau autour du visage pour empêcher la mâchoire de s'ouvrir, un chapelet à la main. Il a tout de suite attaqué :

— Vous avez laissé entrer le curé ?

Mon père, à soixante-dix-sept ans, restait très droit et l'on ne pouvait guère déceler son âge que par le tremblement de sa lèvre et de ses mains. On aurait dit que Vachet lui faisait peur et il s'est tourné vers moi comme pour m'appeler à l'aide.

— Ma mère a réclamé les derniers sacrements et sera enterrée religieusement, ai-je déclaré en rassurant mon père du geste.

— Il ne se rend pas compte qu'il va nous rendre ridicules ?

« Il », c'était mon père.

— Après ce que la loge a fait pour lui…

Vachet est encore presque aussi mince que quand je l'ai connu, en même temps qu'il a connu ma sœur, et qu'il était chef de bureau à la préfecture de la Charente-Maritime, dont mon père était le préfet. Mais cela viendra plus tard. Vachet est sûr de lui, volontiers sarcastique, et, comme il a réussi dans la vie, comme il est devenu une célébrité, il se croit tout permis. À le voir, dans la maison où ma mère n'était morte que la nuit précédente, on aurait pu croire que la famille c'était lui et que, seul, il était responsable de sa réputation.

— *Vous m'avez déjà fait assez de tort, tous, tant que vous êtes…*

C'est justement parce que, six mois plus tard, il devait répéter cette phrase-là en ta présence, que je reviens sur l'incident. Je t'ai vu froncer les sourcils. À moins que Vachet, ou ma sœur, t'aient parlé à mon insu, il était impossible que tu comprennes.

Quand j'aurai fini mon récit, tu seras à même de juger, de nous juger tous.

Mon père et moi avons tenu bon. Vachet n'a pas empêché sa femme d'assister à l'absoute, mais, pendant qu'elle avait lieu, il est resté, bien en vue, dans sa voiture, en face de l'église.

La scène a recommencé quand il a été question des obsèques de ton grand-père et moi seul, cette fois, ai pris mes responsabilités. À aucun moment, mon père ne m'a demandé de passer par l'église. Ces derniers mois, pas plus que pendant le reste de sa vie, il n'a jamais été question entre nous de convictions religieuses, philosophiques ou politiques.

De janvier à octobre, il a vécu seul dans la maison du Vésinet où une vieille femme du voisinage le servait, le quittant chaque soir pour aller soigner son mari.

Ces mois-là s'inscrivent-ils en sombre dans ta mémoire, encore qu'ils comportent surtout des mois de printemps et d'été ? En est-il pour toi comme pour moi ? Il y a des lieux que je ne revois que sous des couleurs d'hiver, rues sombres, salies par la pluie, réverbères clignotants et traînées d'eau sur les vitrines ; d'autres, au contraire, qui me laissent le souvenir léger du lever du jour au printemps. Que dis-je ? Des années entières, des périodes de ma vie se réduisent à des traces noires et fades, tandis que certaines gardent la fraîcheur d'un pastel.

Et si je te demandais maintenant :

— De quelle couleur est pour toi cet hiver ?

Est-ce que je me trompe en pensant que, s'il n'est pas dans les noirs, il est tout au moins dans les gris ?

C'est une question d'âge aussi, je crois, un peu comme des tunnels à passer. Les périodes de transformation, de mue, celles qui précèdent les grands changements ou les découvertes de soi-même, ont un arrière-goût désagréable.

Tu prépares ton baccalauréat. Si la mort de ta grand-mère, que tu connaissais peu, n'a pas dû beaucoup t'affecter, je suis persuadé que tu as considéré comme une corvée les visites que je t'ai imposées ensuite au Vésinet.

Je t'emmenais là-bas voir un vieux monsieur avec qui tu ne te sentais aucun lien. Le Vésinet n'est pas de notre époque, surtout de la tienne. Les souvenirs que nous échangions devant toi, mon père et moi, ne signifiaient rien pour toi, pas plus que cette villa décrépite dont tu l'as entendu parler avec émotion.

C'est à peine s'il t'adressait la parole et cela t'a peut-être étonné, mais il t'observait à la dérobée puis me regardait à mon tour. Sais-tu ce que signifiait ce regard-là, pour nous ?

— *Peut-être que cela a servi à quelque chose ?*

N'essaie pas encore de comprendre. Cela viendra en son temps, je l'espère. Ce que je souligne tout de suite, c'est qu'il fallait que je t'y emmène, que je t'impose ce sacrifice-là. La plupart du temps, d'ailleurs, je ne tardais pas à te libérer.

— N'as-tu pas rendez-vous avec tes amis à cinq heures ?

J'en sais peu sur tes amis et je ne connais rien de tes rendez-vous. Ceci n'est pas un reproche. Tu tendais la main, gauchement :

— Bonsoir, grand-père.

Il te disait, comme je te le dis, comme il me le disait autrefois :

— Bonsoir, fils.

Les Lefrançois s'embrassent peu et, enfant, c'est à peine si, matin et soir, je frôlais la joue de mon père.

Nous te suivions des yeux. Sans doute t'es-tu imaginé que, laissés en tête à tête, nous avions quelque chose à nous dire ?

Pas plus que quand je vais passer un moment dans ta chambre et que je m'assieds au pied de ton lit. Nous restions là, tous les deux, dans la pièce toujours envahie de pénombre où mon père se tenait, et nous pensions. Nous n'avions pas besoin de penser tout haut. C'est seulement quand nos pensées allaient trop loin et commençaient à nous donner le vertige que l'un de nous deux prenait la parole au sujet d'un livre, d'un événement récent, de la mort de quelqu'un que nous avions connu ou encore de médecine car, pendant ses dernières années, mon père s'est beaucoup occupé de médecine.

Il n'était jamais question entre nous de ma mère, ni de La Rochelle, ni de certaines gens de là-bas, encore moins des événements de 1928.

Cela te paraît loin dans le passé, n'est-ce pas ? Tu n'es né, toi, qu'en 1940, une date qui semble couper l'Histoire en deux.

Pourtant, 1928 et les événements de La Rochelle, c'est tout près, les années ont passé si vite, depuis, que je me demande si je suis réellement un homme de quarante-huit ans qui n'a presque plus de cheveux et qui, bon gré mal gré, va peu à peu prendre la place de son père.

Qui sait ? J'aurais peut-être fini un jour, moi aussi, dans la villa en briques du Vésinet si ma sœur, qui a toujours besoin d'argent, n'avait insisté pour que nous la vendions.

Ne t'effraie pas. Je devine quelles images cela évoque pour toi, une sorte de décrépitude acceptée, de résignation grise.

Si je fais allusion à une retraite au Vésinet, c'est une façon de parler. Je veux dire qu'à mon tour on viendra me voir, qu'à ton tour tu diras à ton fils ou à ta fille :

— Il faut que tu nous accompagnes cet après-midi chez ton grand-père.

Souris donc, idiot ! Je te jure que je ne suis pas triste, ni amer !

Je dois en finir d'abord avec cette histoire de funérailles religieuses que j'ai évoquée sans trop savoir pourquoi, peut-être, après tout, parce qu'elle me tracasse. Mon grand-père, déjà, était incroyant, d'une façon sereine, souriante, j'ai envie de dire équilibrée. C'était un grand bourgeois, comme on disait à l'époque, et aussi un grand serviteur de l'État. Était-il franc-maçon ? Je n'en ai rien su et, sans ton oncle Vachet, je n'aurais sans doute jamais soupçonné non plus que mon père appartenait à la loge dont il était même devenu un dignitaire d'un rang assez élevé.

J'ai tout lieu de croire aussi, comme Pierre Vachet l'affirme, – et il doit avoir de bonnes raisons pour être au courant, – que, lors des événements de 1928, puis

au cours des années suivantes, les loges sont interve-
nues discrètement, mais efficacement, en faveur de
mon père.

Comme je l'ai déjà écrit, celui-ci, au cours des derniers mois passés dans la solitude du Vésinet, où j'allais
le voir de temps en temps, ne m'a jamais fait part de ses
ultimes volontés.

Pourtant, je ne crois pas m'être trompé en agissant
comme je l'ai fait et, si je me suis trompé, qu'il me
pardonne.

Pour toi, venu au monde quand il avait soixante et
un ans, il n'a jamais été qu'un vieillard assez éteint
et sans doute l'as-tu considéré comme une sorte de
maniaque.

Si je t'avais parlé au lieu de t'écrire, il y a encore une
question que je t'aurais posée, un peu comme des sen-
tinelles réclament le mot de passe :

— As-tu eu, vers l'âge de trois ou quatre ans, la
hantise des pieds ?

Et, si tu m'avais répondu « oui », j'aurais su qu'il
s'agit d'un sentiment commun à tous les enfants.
J'aurais peut-être ajouté :

— Et l'odeur des parents ?

Pour l'odeur, j'en suis presque sûr, car je t'ai épié
quand tu avais cet âge-là. Il nous arrivait, à ta mère et
à moi, de rester plus tard que toi au lit et la bonne te
faisait entrer dans notre chambre, où tu restais debout,
hésitant, près de la porte.

— Tu ne viens pas m'embrasser ? s'étonnait ta
mère.

22

Alors seulement tu t'approchais d'elle et tu lui posais vivement un baiser sur le visage, pour battre en retraite aussitôt.

— Et ton père ?

Tu contournais le lit. Je te revois et, du coup, je me revois faisant la même chose autrefois. T'en coûtait-il autant qu'à moi ? Avais-tu, toi aussi, le sentiment d'accomplir un devoir, d'accomplir, pour éviter de faire de la peine, un acte presque héroïque ?

Je n'aimais pas l'odeur du lit de mes parents, l'odeur de leur chambre, le matin. J'y découvrais je ne sais quoi de trouble et c'est pourquoi je n'ai jamais insisté pour que tu viennes m'embrasser lorsque j'étais encore couché.

Des animaux vivent entassés, fourrure contre fourrure, dans la chaleur odorante du terrier, mais je me demande s'il n'y a pas, pour eux aussi, un âge où l'odeur des aînés devient étrangère et, presque, une odeur ennemie ?

Il en est de même pour les pieds. J'avais de l'admiration pour mon père habillé et c'était, en fait, un des plus beaux hommes que j'aie connus. Il n'avait que vingt-cinq ans à ma naissance. C'est donc sur un homme jeune que j'ai ouvert les yeux. Pourquoi n'avais-je plus cette impression lorsque je le surprenais en partie dévêtu ? Je me souviens surtout de ses pieds, qui me faisaient l'effet d'une difformité, avec leurs os saillants et une touffe de poils sombres à la base du gros orteil. Leur vue m'angoissait presque et peut-être évoquait-elle pour moi quelque mystérieuse maladie ou une sorte de déchéance.

Ne ris pas. Pendant longtemps, j'ai évité de te montrer mes pieds nus !

Quelles impressions ont pu être les tiennes, à toi qui as connu le même homme vieilli, fatigué, n'attendant plus rien de l'existence, vivant ce qu'il a appelé un jour une vie supplémentaire ?

Ne t'est-il pas arrivé de te révolter en pensant qu'il était la base de ta famille ?

Au début, jusqu'à ce que tu aies dix ans, si je ne me trompe, il travaillait encore, car ta grand-mère restait capable d'aller et venir, encore qu'avec peine, dans la maison du Vésinet.

Je n'ose pas te demander quelle image te reste et te restera à jamais de cette grand-mère que tu n'as connue qu'énorme, alourdie par une graisse malsaine et cireuse, les jambes gonflées par l'hydropisie, l'œil fixe, sans expression. Quand tu es né, elle n'est pas venue te voir, car elle ne sortait déjà plus de la villa, et ce n'est que quelques semaines plus tard que nous sommes allés te montrer à elle.

Peut-être as-tu cru qu'elle était folle ? Ton oncle Vachet le laisse volontiers entendre, mais ce n'est pas vrai et j'essayerai de te l'expliquer.

Votre première rencontre n'en a pas moins été pénible. Comme tu es né en mars, c'est vers la fin avril que nous sommes allés là-bas avec toi, par un dimanche de clair soleil. Par-dessus les murettes et les clôtures, on voyait déjà des lilas et il y en avait aussi dans le jardin de la villa Magali.

Je n'ai jamais compris pourquoi celle-ci était si sombre. On aurait dit que les fenêtres avaient été conçues pour laisser pénétrer le minimum de lumière. La pièce, sorte de salon tout en longueur, où mes parents passaient leurs journées, était basse et humide, avec encore, ce jour-là, quelques bûches qui fumaient.

Ta mère, toi et moi arrivions de Paris par le train et la gare elle-même nous avait paru gaie. D'entrer tout à coup dans cette pièce obscure, c'était un peu comme si nous laissions la vie derrière nous pour pénétrer dans un autre monde.

— Je te présente Jean-Paul, ton petit-fils, dit mon père à ma mère, assise dans son fauteuil.

Elle t'a regardé de ses prunelles immobiles et nul sourire n'a éclairé son visage ; elle s'est contentée de tendre les bras et, à ce moment-là, ta mère, hésitante, m'a lancé un coup d'œil anxieux.

Moi aussi, j'avais peur que la vieille femme te laisse tomber, car elle était devenue maladroite. Mais je sais qu'il y avait chez ta mère un autre sentiment, que je partageais à un degré moindre. Tu étais tout neuf. Tu représentais la vie avec sa fraîcheur. Je veux éviter les grands mots. Tu comprendras un jour ce qu'un bébé représente d'innocence et d'espoir.

De te voir dans les bras de cette femme arrivée à l'autre bout de l'existence et qui portait les marques de la déchéance nous apparaissait à l'un et à l'autre comme une profanation.

Je ne devrais peut-être pas te dire cela, mais j'ai eu le cœur serré quand j'ai vu le visage de celle qui m'avait porté dans son ventre et bercé lorsque j'étais enfant se pencher sur ton visage lisse et rose, vers ta bouche encore pure de tout contact, comme si son souffle allait te ternir.

Plus tard, quand tu as marché seul, quand, certains dimanches, devenu gamin, tu as joué dans le jardin presque sauvage, elle ne s'est guère occupée de toi, se contentant de tressaillir douloureusement à chacun de tes cris, car le bruit la torturait.

Mon père était de quatre ans plus jeune qu'elle, mais, aux yeux d'un garçon de ton âge, – même de ton âge actuel, – quelques années de différence entre vieillards n'ont guère d'importance.

Je cherche les images du Vésinet qui ont pu te frapper, les quelques images qui restent sans qu'on sache pourquoi. Sûrement celle de ta grand-mère dans son fauteuil, près de la cheminée, car c'est là que tu l'as presque toujours vue, et tu as dû te demander pourquoi elle ne faisait rien, ni tricot, ni couture, comme la plupart des autres vieilles. Elle ne lisait pas non plus et il n'y avait pas la radio dans la maison. Elle restait là, du matin au soir, sans bouger, à regarder devant elle, et, l'hiver, elle ne se penchait jamais pour arranger les bûches ou pour en remettre. Une fois, mon père était allé faire une course dans le quartier alors que Mme Perrin, la femme de ménage, était absente. Lorsqu'il est entré, un tison incandescent avait roulé du foyer et, sous le regard indifférent de ta grand-mère, était en train de mettre le feu au plancher.

En as-tu voulu à cette femme-là d'être comme elle était et d'être ta grand-mère ?

Sais-tu que, dans le même jardin envahi de mauvaises herbes où il t'est arrivé de jouer, elle a passé maintes vacances, petite fille, et joué au croquet sur la pelouse avec des amies ? C'est toi, involontairement, qui me l'as rappelé, en déterrant un jour un arceau de fer rongé par la rouille et en me demandant ce que c'était.

La villa a dû être gaie. Elle a été neuve, en tout cas, bâtie par les parents de ta grand-mère à une époque où Le Vésinet était une campagne élégante.

Tu as entendu parler de mes cinq tantes, les cinq sœurs de ta grand-mère, mais tu n'en as vu qu'une à l'enterrement, tante Sophie, qui est veuve et habite non loin de chez nous, mais que nous ne voyons jamais. Les autres sont mortes. Elles ont vécu la plupart du temps au loin, l'une au Maroc, une autre aux États-Unis, une un peu partout, à la suite de son mari qui était dans la diplomatie, une enfin dont on n'a jamais rien su. Elles ont eu des enfants, des petits-enfants que je ne connais pas et que tu ne connaîtras jamais.

Dès avant ta naissance, en somme, ta grand-mère n'était plus avec nous. Elle ne vivait même plus à notre époque et elle était allée retrouver les petites filles du jardin.

Mon père, qui le savait, n'essayait plus de la tirer de son rêve éveillé et se contentait de l'entourer de soins.

Il était devenu un garde-malade, un homme qui ne s'occupait plus de lui-même, ni de rien, sinon de veiller sur la fin d'une existence.

Peut-être, en effet, cela le rendait-il un peu maniaque ? Leur vie à tous les deux, avec seulement, pendant la journée, la présence de Mme Perrin, s'était organisée selon certains rites, ce qui est souvent une sauvegarde.

Les dernières années, mon père se levait tout à coup pour remettre en place un bibelot que la femme de ménage avait poussé par mégarde.

Lorsque le retraité du pavillon d'en face, M. Lange, est mort voilà deux ans, et que de nouveaux mariés ont occupé les locaux, il a parlé sérieusement de porter plainte parce qu'ils faisaient marcher la radio toutes fenêtres ouvertes.

Des gamins du voisinage qui avaient adopté la rue pour leurs jeux, parce que c'est une des plus calmes, sont devenus, à leur insu, pour mon père et ma mère, de véritables tortionnaires.

À chaque cri – et Dieu sait s'ils en poussaient ! – mon père voyait ma mère tressaillir comme quand il t'arrivait à toi-même, le dimanche, de faire du bruit. Il a supporté un certain temps de la voir souffrir de la sorte, puis, un jour, il est allé trouver l'aîné de la troupe. J'ignore comment il s'y est pris, maladroitement sans doute, car, de ce jour, les deux vieux de la villa Magali sont devenus les bêtes noires des enfants du quartier.

Ceux-ci ne savaient pas que ces vieux-là vivaient les derniers mois de leur existence en s'efforçant de les vivre du mieux possible. La jeune mariée d'en face, qui faisait marcher la radio toute la journée et qu'on voyait aller et venir, en peignoir rouge, par les fenêtres ouvertes, n'y pensait pas non plus.

Les gosses s'approchaient avec des ruses d'Indiens, tiraient violemment la sonnette et s'éparpillaient en courant et en riant. D'autres fois, c'étaient des ordures, voire des déjections, que mon père trouvait dans sa boîte aux lettres.

Ne voyait-il pas, dans cet acharnement, comme l'avertissement qu'il était temps de mourir?

Jusqu'à ce que ma mère devienne complètement impotente, je te l'ai dit, il a continué à travailler, non loin de la gare du Vésinet, dans un cabinet de contentieux, car il était docteur en droit. Il pouvait encore garder l'illusion d'être dans la vie.

Il s'était même créé un refuge qui te surprendrait davantage si tu l'avais connu autrefois. Chaque soir, à la fermeture des bureaux, il entrait au Café des Colonnes, un café à l'ancienne mode, avec des banquettes de moleskine et des miroirs sur les murs, et il retrouvait trois compagnons avec qui il jouait au bridge.

Si la partie se prolongeait, il jetait des regards anxieux à la grosse horloge, car sa vie était minutée; à sept heures, Mme Perrin s'en irait, qu'il rentre ou qu'il ne rentre pas, laissant la table mise et le dîner sur le coin du feu.

C'était lui qui le servait, lui aussi qui, le soir, faisait la vaisselle, après quoi il lui restait une heure pour lire son journal.

Je comprends, fils, que tu te révoltes. Tu es à un âge où l'on a soif de beauté, de propreté, de grandeur et où l'on méprise, d'instinct, tout ce qui a été souillé ou amoindri par la vie. La jeunesse hait les vieillards, qui lui apparaissent comme une tare de la création.

Est-ce bien cela que j'ai lu dans tes yeux ? Sinon de la haine, tout au moins du mépris et, en même temps, de la rancune, parce que ce vieillard-là se mêlait d'être ton grand-père, ton prédécesseur, quelqu'un dont tu as du sang dans les veines et avec qui tu possèdes, que tu le veuilles ou non, des traits de ressemblance.

Ne crois pas que ce soit une défense de mon père que j'écris ici, ni une apologie de la vieillesse, au moment où celle-ci me guette. Tu comprendras mieux quand j'en arriverai au drame de 1928, qui est à la base de tout, de ce que tu as connu au Vésinet, de ce que tu connais chez nous, avenue Mac-Mahon, et même de ta propre existence.

Je recule le moment d'y arriver parce que j'ai peur que les faits tout nus n'aient pour toi aucune signification.

Les cinq dernières années, ma mère devenue impotente, mon père n'est plus allé au cabinet de contentieux, n'a plus mis les pieds non plus au Café des Colonnes, se contentant de faire le marché le matin et, l'après-midi, une courte marche.

Ma mère morte, il n'a même pas pensé à reprendre ses anciennes habitudes. On ne l'a pas revu à la table de bridge. Il a continué, machinalement, à suivre son horaire des derniers mois. Il n'était pas malade. Il ne l'a jamais été de sa vie. Il ne souffrait d'aucune infirmité. Il se tenait aussi droit que quand j'avais dix ans et apportait la même minutie à sa toilette.

Lorsque j'ai demandé au médecin du Vésinet de quoi il était mort, une nuit, tout seul, – on l'a retrouvé au pied de son lit, sur la carpette où il avait glissé, – il m'a regardé un bon moment puis a légèrement haussé les épaules.

J'ai compris. Resté seul, mon père n'avait plus de raison de vivre et s'est laissé mourir. Mme Perrin, qui l'a servi jusqu'au dernier soir, a traduit cela par :

— C'est le chagrin qui l'a rongé.

Jusqu'au bout, pourtant, il est resté le même, montrant le visage serein que je lui connais depuis 1928, que je lui ai toujours connu, peut-être, sauf que, depuis 1928, il s'y était ajouté un certain détachement.

Y eut-il chez lui, après la mort de ma mère, plus de douceur, de mollesse ?

Je considère comme un signe qu'il ait adopté un chaton ramassé un matin dans son jardin et qu'il soit allé acheter un biberon de poupée pour le nourrir ; un signe aussi de le trouver parfois assis, dehors, dans un rayon de soleil.

Cela n'explique pas ma lutte avec ton oncle – ta tante restait neutre, mais était plutôt contre moi – pour qu'il soit enterré religieusement.

Vais-je te dire que c'est le géranium qui m'a décidé ? Tu connais ce géranium-là, car nous en parlons parfois à table. En face de chez nous, dans cette avenue Mac-Mahon aux façades austères, tout en pierre grise, une vieille femme habite une mansarde. Nous ne savons rien d'elle, pas plus que nous n'en savons de nos propres voisins. C'est Émilie, la bonne, qui nous a parlé d'elle en nous disant qu'elle s'appelle Mlle Augustine.

Peu importe qui elle est, d'où elle vient et pourquoi elle vit sous les toits d'un immeuble dont les autres étages sont habités par de gros bourgeois.

Il arrive parfois à l'un de nous, à table, de remarquer, les jours d'hiver :

— Tiens ! Mlle Augustine a sorti son géranium.

Sa fenêtre, dont le rectangle se découpe dans l'ardoise du toit, au-dessus de la corniche, est la seule fenêtre fleurie de l'avenue.

L'été, le géranium, dans son pot, reste jour et nuit à sa place, mais, dès les premiers froids, on le rentre pour la nuit, puis on ne le revoit qu'aux heures chaudes, dès qu'un rayon de soleil atteint la fenêtre.

Cela a fini par lui donner, pour moi, une vie plus que végétale et, plus ou moins consciemment, j'ai établi un rapprochement avec le chaton de mon père.

Chacun a besoin de se raccrocher à quelque chose et ma mère, les derniers temps, s'est raccrochée à la religion. Lorsque nous l'avons enterrée, j'ai été impressionné par le clair-obscur de l'église, par la chaire et les bancs vernis, par la flamme des bougies, l'odeur d'encens, le surplis des enfants de chœur, enfin par le *Dies irae* dont les syllabes résonnaient sous la voûte. J'ose à peine t'avouer que la vulgarité naïve de certaines statues de plâtre colorié m'a paru rassurante.

Le chaton, le géranium, les orgues, l'encens, les doigts trempés dans l'eau bénite se sont peu à peu confondus dans mon esprit.

Et aussi, quand mon père regardait autour de lui, les dernières semaines, je ne sais quelle anxiété qui perçait à travers sa sérénité, une question furtive, presque honteuse, qu'il semblait poser à tout ce qu'il allait quitter.

L'absoute, les orgues, le *De profundis*, les gestes rituels du prêtre saisissant le goupillon, c'était, à mes yeux, le géranium de Mlle Augustine.

2

J'ai lu quelque part, il n'y a pas si longtemps, une phrase qui m'a frappé. Je jurerais que c'était dans un roman et, bien que j'en lise peu, je n'arrive pas à retrouver lequel. J'ai pourtant cherché dans ma mémoire, et même dans les rayons de ma bibliothèque, de mon « capharnaüm », comme dit ta mère, qui n'aime pas mon genre de désordre. J'aurais voulu te donner le texte exact, meilleur que celui qui me revient à l'esprit : « La date la plus importante, dans la vie d'un homme, est celle de la mort de son père. »

Je parierais que l'auteur a mon âge, ou plus, car il y a des pensées par lesquelles les gens d'un même âge se reconnaissent. J'ai ruminé celle-là pendant un certain temps, et je la crois vraie. Je crois aussi avoir compris pourquoi la mort du père revêt tant d'importance : c'est que, d'un jour à l'autre, on change de génération, qu'on devient un aîné à son tour.

Tu es entré, il y a un instant, alors que j'étais en train d'écrire la dernière ligne, et tu as paru surpris. Tu ne t'attendais pas à me trouver dans mon bureau, en smoking, alors que nous avions des invités au salon. Tu t'es arrêté sur le seuil et tu as eu un bref regard à mes feuillets.

— Pardon. Je ne savais pas que tu travaillais.

J'ai répliqué, comme pour jouer avec le feu :

— Je ne travaille pas.

— Je venais voir s'il ne traînait pas des cigarettes.

Tu avais chez toi un ami. Je ne l'ignorais pas puisque je l'avais trouvé dans ta chambre, une heure plus tôt, lorsque j'étais allé te rendre visite. Un garçon très brun, aux cheveux abondants, aux yeux sombres et doux était assis à côté de toi devant un cahier et s'est levé précipitamment.

— Mon ami Georges Zapos, m'as-tu présenté.

J'ai questionné :

— Vous êtes au lycée Carnot aussi ?

— Je prépare mon bac en même temps que votre fils, a-t-il répondu d'une voix chantante.

Il a ajouté avec un sourire :

— Malheureusement, je ne suis pas aussi brillant que lui.

Je ne savais pas qu'aux yeux de tes camarades tu passasses pour brillant. Il est possible que tu le sois et c'est un fait que tes professeurs se montrent satisfaits de toi. Mais je sais si peu de choses en ce qui te concerne !

En dehors de deux ou trois amis assez réguliers, qui viennent te chercher pour sortir ou qui passent un moment avec toi dans ta chambre, tu fais rarement allusion aux gens que tu rencontres. On dirait même, quand, chez nous, je me trouve face à face avec un de tes amis, comme cela s'est produit tout à l'heure, que tu as hâte de l'écluser.

Ce Georges Zapos m'a frappé, non seulement à cause de son nom, mais à cause du charme qui émane de lui, de ce que j'appellerais sa gentillesse si ce mot n'était galvaudé.

Je parierais que tu étais gêné qu'il me voie en smoking, ce qui risquait de donner à ta famille une réputation trop bourgeoise ou trop mondaine. Or, ce Zapos a trouvé cela naturel. Il s'est expliqué simplement sur sa visite.

— Je m'excuse d'être venu sonner chez vous à l'improviste. Ce soir, au moment de me mettre à l'algèbre, je me suis aperçu que j'avais égaré le bout de papier sur lequel j'avais noté les problèmes.

Il souriait, non seulement des yeux et des lèvres, mais de tout son visage.

— Il se fait que Jean-Paul est le plus proche de mes condisciples.

— Vous habitez le quartier ?

Son sourire est presque devenu rire.

— J'habite la maison voisine.

Pourquoi cela a-t-il déclenché comme un signal dans mon esprit ? Déjà, en l'apercevant, il m'avait semblé qu'il y avait en lui quelque chose qui m'était presque familier.

J'ai murmuré, pour ne pas te mettre au supplice en imposant ma présence :

— Continuez à travailler.

Je suis retourné au salon, où ta mère servait les liqueurs. Il est rare que tu paraisses à nos soirées et, quand ta mère insiste, tu ne fais qu'y passer, préférant manger en hâte à l'office. Le jour de tes seize ans, j'ai voulu t'offrir un smoking. Je crois bien avoir dit :

— Un homme qui ne commence pas, jeune, à s'habiller, paraîtra toujours gauche en tenue de soirée.

Tu as répondu que tu avais le temps, que tu n'aimais pas ça et, au fond, je te comprends, car, moi non plus, je n'aime pas les soirées que nous donnons.

Ta mère y tient, tu le sais. Si même il entre quelque vanité dans son besoin de sortir et de recevoir, c'est surtout, chez elle, une impuissance à vivre immobile. Certes, elle préfère rencontrer des gens qui ont un nom, dans n'importe quel domaine, mais, par des soirs de calme plat, il lui arrive de s'habiller et de s'enfuir vers le premier cinéma venu.

Aujourd'hui, il y a les Tremblay, puis Mildred et Peter Hogan qui, à la mode américaine, nous appellent par nos prénoms, enfin l'inévitable député Lanier avec sa femme et sa fille Mireille.

En me voyant rentrer, ta mère m'a demandé, justement, à cause de Mireille :

— Jean-Paul n'est pas là ?

— Un ami est venu travailler avec lui. Ils sont plongés jusqu'au cou dans l'algèbre.

Béatrice Lanier est à présent la meilleure amie de ta mère. Son mari, l'avocat Lanier, a été élu député aux dernières élections, et leur fille Mireille, paraît-il, ne rêve que de toi, qui l'évites.

Dans des circonstances comme celles-ci, j'ai toujours l'impression que les gens s'imaginent que je mens et c'est pourquoi j'éprouve le besoin de fournir des détails.

— Je ne savais pas, ai-je ajouté, que Jean-Paul eût un ami dans la maison voisine, un garçon fort sympathique nommé Georges Zapos.

Lanier et sa femme ont échangé un coup d'œil amusé.

— Tu le connais, Alice ? a demandé Béatrice à ta mère.

— C'est la première fois que j'en entends parler. J'ignore si les filles d'aujourd'hui sont comme ça, mais Jean-Paul ne nous raconte à peu près rien de sa vie personnelle.

— En tout cas, tu as souvent vu sa mère. C'est…

Et elle a prononcé le nom d'une des actrices les plus célèbres de Paris.

Tout à l'heure, quand tu m'as interrompu en venant chercher des cigarettes dans mon bureau, je t'ai demandé négligemment :

— Tu sais qui est sa mère ?

Et toi, le plus naturellement du monde :

— Bien sûr.

Cela te paraît tout simple, et pourtant ton ami Zapos a une des existences les plus extraordinaires qui soient. Il est probable que tu en connais les grandes lignes, mais tu ne dois pas te rendre compte de ce qu'il y a de hors série dans son destin.

Des millions d'hommes, sur tous les continents, connaissent le visage de sa mère et admirent autant en elle la femme que l'actrice. Il m'est arrivé de la croiser aux Champs-Élysées, enveloppée d'un vison qui, sur elle, prend une autre vie que sur les autres femmes, et tous les passants se retournent, les jeunes gens, les jeunes filles se précipitent pour lui demander un autographe sur n'importe quel bout de papier. Il se dégage de sa personne, même dans la grisaille de la rue, un halo de féminité et souvent, comme les autres, je me suis arrêté pour la suivre des yeux.

Quel effet cela peut-il faire d'avoir une mère comme elle ? Je t'ai dit que j'avais été frappé en voyant ton ami et je comprends maintenant que c'est à cause d'une certaine ressemblance, moins dans les traits que dans l'expression du visage. Elle aussi a ce sourire qui ne vient pas de la surface, mais du fond de l'âme, et qui charme et rassure tout ensemble. Il me semble aussi que je retrouve les mêmes inflexions dans leur voix.

Sa mère ne s'appelle pas et ne s'est jamais appelée Zapos, chacun le sait, car la foule tient à tout connaître de la vie de ses idoles. Elle n'a été mariée qu'une fois, il y a une douzaine d'années, alors donc que son fils avait quatre ou cinq ans, et, un an plus tard, déjà, elle devait divorcer.

Quant à Zapos, il vit encore, partageant son temps entre la Grèce, Panama et les États-Unis, car il a des affaires un peu partout dans le monde. C'est, lui aussi, un personnage de légende, dont on relate les faits et gestes.

Il voit son fils une fois l'an, le plus souvent à Vichy, où il vient faire sa cure et où ils passent un mois ensemble.

Écrit-il, le reste du temps ? Ton ami n'a-t-il des nouvelles de lui que par les journaux qui donnent des détails sur son yacht, ses chevaux de course, ses autos et ses aventures galantes ?

Ils en ont parlé pendant une heure, au salon, et peut-être en parlent-ils encore. Au début, la femme du docteur Tremblay s'est mise à tousser d'une façon significative, en désignant Mireille Lanier des yeux. Mme Lanier a compris, s'est empressée de déclarer :

— Oh ! on peut parler devant Mireille. Je crois que c'est elle qui nous en apprendrait.

J'ai quitté discrètement le salon, comme cela m'arrive souvent. Nos amis y sont habitués. Ta mère a dû leur dire, ou leur dira :

— Encore et toujours son travail !

Elle sait que j'ai besoin de me retrouver seul dans mon coin. Je n'ai rien contre les gens, à plus forte raison contre nos hôtes. Je ne répugne pas à les voir, mais, après un certain temps, je me sens désaxé et il me faut ma solitude.

J'avais si peu l'intention de parler de Georges Zapos que j'ai commencé par une citation au sujet de la « mort du père ». Puis, à cause de ton interruption, ma pensée a pris un autre cours, encore qu'en fin de compte elle continue à tourner autour du même sujet. Élie Zapos est un père aussi. Des questions identiques se posent pour lui et pour moi, se poseront pour son fils Georges et pour toi.

J'ai parlé d'années sombres et d'années claires, de souvenirs en noir et de souvenirs enluminés. De quel genre seront ceux de ton ami ? Lui seul, en définitive, pourra le dire, car lui seul voit la vie avec ses yeux.

Je continue à essayer de nous voir, de me voir avec les tiens avant de faire, dans le passé, un plongeon que je redoute et dont je recule toujours le moment. Il n'en est d'ailleurs pas question aujourd'hui, car j'entends des voix qui se rapprochent de ma porte. Cela signifie que les invités ne tarderont pas à s'en aller et que ta mère vient me chercher.

Bonne nuit.

Un camarade a dû, un jour, à l'école, quand tu avais sept ans ou huit ans, te demander :

— Qu'est-ce qu'il fait, ton père ?

Pour les gens qui nous observent, pour tes condisciples, les fournisseurs, les voisins, nous sommes, sinon des gens riches, – sauf aux yeux des plus pauvres, – tout au moins des gens très aisés. Nous habitons un des plus beaux quartiers de Paris, à quelques centaines de mètres de l'Arc de triomphe. Un président du Conseil, qui a déjà son nom dans les manuels d'histoire, a eu longtemps son appartement juste en face du nôtre. Si l'on consulte l'annuaire des téléphones où les abonnés sont classés par rues, on trouve, avenue Mac-Mahon, une bonne vingtaine de gens connus, sans compter les administrateurs de sociétés, les diplomates étrangers, etc.

Les immeubles, malgré leur patine, qui n'est pas sans leur donner une certaine noblesse, en tout cas un aspect cossu et solide, sont vastes, confortables, et les portes cochères sont vernies de frais, avec des marteaux de cuivre astiqués. Les loges de concierges ne sont pas des trous sombres d'où s'échappent des odeurs de ragoût, mais de véritables salons qui font penser aux salles d'attente des médecins ou des dentistes. Les ascenseurs fonctionnent sans bruit. Nos tapis d'escalier sont moelleux, d'un rouge chaud et profond.

Nous avons une bonne, Émilie, qui est à notre service depuis cinq ans déjà, et une femme de ménage dont le mari appartient à la Garde Républicaine.

On voit des voitures plus somptueuses que la nôtre stationner le long du trottoir, mais nous n'en avons pas moins une excellente, presque neuve.

Enfin, depuis deux ans, ta mère possède son manteau de vison, en plus du manteau de castor que je lui ai acheté dans les premiers temps de notre mariage.

J'allais oublier que nous passons nos vacances à Arcachon et que, presque chaque hiver, nous allons à Megève ou dans une station de ski suisse au moment de Noël.

Tes camarades actuels, au lycée Carnot, appartiennent, pour la plupart, à un milieu sensiblement pareil au nôtre, de sorte que tu ne dois pas te sentir dépaysé.

— Qu'est-ce qu'il fait, ton père ? t'a-t-on donc demandé.

Tu as dû – je n'en suis pas sûr, mais je le jurerais – ruminer la question pendant plusieurs jours. Lorsque tu t'es décidé à me la poser, un soir, à table, tu l'as fait sous une forme différente :

— Comment est-ce que tu gagnes ton argent ?

Tu me voyais partir le matin, une serviette sous le bras, rentrer à midi et le soir, – pas toujours à midi, –

puis, le plus souvent, après dîner, m'enfermer dans mon bureau. Si tu faisais trop de bruit, ta mère te disait :

— Chut ! Ton père travaille.

Et si, en mangeant, je montrais quelque impatience, elle expliquait :

— Ton père est fatigué.

Je me souviens d'avoir répondu à ta question en souriant :

— Je gagne mon argent comme tout le monde, en faisant mon métier.

— Quel métier ?

— Je suis actuaire.

J'ai vu tes sourcils se froncer, une expression de contrariété ou de méfiance passer sur ton visage. Cela m'est arrivé avec des gens qui n'étaient plus des enfants de huit ans. Parmi les condisciples du lycée, on compte des fils de médecins, d'avocats, de notaires, de directeurs ou de sous-directeurs de banque, de fonctionnaires. Il en est de plus ou moins riches, il en est aussi de pauvres, mais il n'y a pas d'enfants d'actuaires.

— Qu'est-ce que tu fais, dans ton bureau ? C'est un grand bureau ?

C'était l'été et les deux fenêtres de la salle à manger étaient ouvertes, le géranium de Mlle Augustine à son poste, au-dessus de la corniche ; tes questions m'amusaient et je te répondais gaiement, heureux, au fond, presque flatté que tu t'occupes enfin de moi.

— Le bureau où je travaille se situe dans un des immeubles les plus vastes, les plus solides de Paris, rue Laffitte, une rue où, chaque jour, se brassent plus de millions, voire de milliards, que dans n'importe quelle rue de la capitale. Ce sont les locaux d'une compagnie d'assurances si puissante et si connue qu'en en parlant, on n'a besoin que de citer ses initiales.

J'ai dit cela sans ironie, je l'affirme, et même avec un certain orgueil. C'est peut-être ridicule, surtout aux yeux du garçon de seize ans que tu es à présent, d'être fier d'appartenir à une compagnie qui traite d'égal à égal avec les banques du monde entier et avec le gouvernement.

Cela ne te satisfaisait pas encore.

— Tu es derrière un guichet ?

— Non.

— Tu écris toute la journée ? Tu fais des calculs ?

— C'est à peu près cela. Je fais des calculs de probabilité.

— Tu ne peux pas comprendre, est intervenue ta mère. Mange.

— Je mange.

Je t'ai néanmoins fourni une explication, simpliste, bien entendu, qui a paru te satisfaire. Le jeudi suivant, je t'ai emmené, dans l'après-midi, rue Laffitte, et tu as été impressionné dès l'entrée par la monumentale porte de bronze et par le hall de marbre noir.

— Ce sont des agents de police ? as-tu demandé en désignant les deux gardiens en uniforme qui me saluaient.

— Non. Ce sont des gardiens.

— Pourquoi ont-ils un revolver à la ceinture ?

L'huissier me saluait par mon nom.

— Pourquoi a-t-il une chaîne au cou ?

C'est une des heures les plus agréables que j'aie passées avec toi. J'étais ravi de te montrer l'ascenseur qui peut contenir vingt personnes, les couloirs larges et silencieux, les portes d'acajou numérotées, ravi aussi, au troisième étage de cette ruche bien ordonnée, de t'introduire enfin dans mon bureau, sur la porte duquel tu as lu la mention : « Entrée interdite ».

— Pourquoi est-il interdit d'entrer ?

— Parce que l'actuaire n'a pas de rapports avec les clients et qu'il ne doit pas être dérangé.

— Pourquoi ?

— Parce que son travail est très délicat et confidentiel.

Tu as vu ainsi la grande pièce claire que j'occupe, l'énorme bureau avec ses trois téléphones qui m'ont valu d'autres questions, le coffre-fort, le bureau de mes deux secrétaires, puis celui de mes commis, aux murs couverts de dossiers.

— Qu'est-ce que c'est, cette grande machine ?

— Une machine à statistiques.

Depuis, tu es revenu me voir deux ou trois fois, en passant, pour me transmettre un message de ta mère, par exemple, ou parce que nous nous étions donné rendez-vous à mon bureau. La dernière fois, c'était il y a environ deux mois, à six heures du soir, afin que je t'accompagne chez le tailleur.

Or, depuis tes sept ou huit ans, il ne t'est plus arrivé de me questionner sur mes occupations. T'en tiens-tu aux explications simplistes de jadis ? As-tu appris, au lycée ou ailleurs, en quoi consiste la tâche d'un actuaire ? Je serais plutôt tenté de croire que cela t'est indifférent.

Tu m'as classé une fois pour toutes. Je suis un monsieur bien habillé, encore que d'une façon conventionnelle, pas trop décati pour ses quarante-huit ans, qui occupe une situation agréable entre le bas et le haut de l'échelle. Je ne suis ni tout à fait un employé, comme ceux que tu as vus au rez-de-chaussée, ni tout à fait un vrai patron, comme ceux dont les bureaux, au premier, sont précédés d'un salon où veille un huissier à chaîne d'argent. Il n'y a rien, en moi, pour inspirer ton admiration, rien non plus pour t'inspirer la pitié.

Si je me base sur ce que j'aurais pensé à ton âge du moi actuel, tu me considères comme un brave homme sans grand talent, sans ambition, qui se satisfait d'une existence confortable et monotone et qui a horreur des risques et de l'aventure.

Peut-être aussi te dis-tu qu'un homme de quarante-huit ans n'a plus beaucoup d'appétits et qu'il remplace ceux-ci par des manies ?

Quelle est ton ambition, à toi ? En as-tu une ? T'es-tu déjà demandé ce que tu voudrais être dans dix ans, dans vingt ans ? Je l'ignore. Je ne t'ai jamais posé la question parce que, jadis, je n'aurais su que répondre. Et, même si j'avais eu une idée précise de l'avenir que je souhaitais, une pudeur m'aurait empêché de parler.

D'autres t'ont posé la question pour moi. C'est une manie de demander aux enfants des amis, voire aux gens qu'on connaît à peine :

— À quoi vous destinez-vous, jeune homme ?

Chaque fois, ta mère en est irritée, non par la question, mais par ta réponse :

— *Je ne sais pas encore.*

— Il paraît que la plupart des jeunes de sa génération sont comme ça, se hâte d'expliquer ta mère. Ils ne savent pas. Ils ne se préoccupent pas de l'avenir, se contentent d'étudier le moins possible et d'aller au cinéma.

Tu ne protestes pas. Sens-tu, à ces moments-là, que, moi, je suis avec toi et que je ne crois pas à ces différences entre générations dont on se plaint si volontiers ?

À ton âge, je répondais d'une voix un peu sourde, car j'étais timide :

— Je ferai mon droit.

Pas parce que j'en avais envie, mais parce que je savais que cela plaisait à mon père. T'avouerai-je qu'en mon for intérieur j'étais persuadé que je trouverais le moyen de ne jamais devenir avocat ou d'entrer dans la haute administration ?

J'ignorais ce que je ferais, mais j'avais le secret dessein de me trouver le moins possible en contact avec les hommes. J'aurais aimé être un savant. Il est vrai que ce mot, dans mon esprit, restait vague, signifiait surtout vivre en dehors de la foule, sur un autre plan, dans un laboratoire ou dans la paix d'un cabinet de travail.

J'y suis presque arrivé, par des voies détournées, par l'effet du hasard, en définitive, car l'actuariat est une sorte de science, mettons une science mineure.

Ce n'est pas par vanité que j'écris ceci, tu peux m'en croire, mais je le fais néanmoins avec une certaine satisfaction, car les mots « entrée interdite », que tu as vus sur ma porte, ne donnent qu'une faible idée de l'importance de mon rôle dans l'écrasant immeuble de la rue Laffitte.

Certes, les bureaux du premier étage, immenses et luxueux comme des bureaux de ministres, ornés de statues de marbre et de tapisseries anciennes, ont plus de prestige que le mien aux yeux du commun des mortels, et les administrateurs, les directeurs, tout l'état-major visible de la maison a un air d'importance qui me manque.

Sais-tu pourtant que c'est de mon bureau que dépend la solidité de l'édifice entier ?

Ce n'est pas ça qui importe, d'ailleurs. Ce que je veux souligner, c'est que c'est de mon bureau que se fait le seul travail passionnant. Je ne manie pas d'argent. Je ne vends pas de polices d'assurances. Je ne règne pas sur une armée d'inspecteurs et d'agents.

Ma fonction, c'est d'évaluer les risques aussi scientifiquement que possible, qu'il s'agisse de vies humaines, d'incendies, de naufrages, de cataclysmes ou d'accidents de travail.

De mes calculs découle le montant de la prime que payeront nos clients et, par conséquent, les gains ou les pertes de la compagnie.

Voilà pourquoi tu as vu, dans un bureau annexé au mien, cette impressionnante machine à statistiques, remplacée depuis peu par ce qu'on appelle un cerveau électronique.

Cela t'ennuie que je te fasse, sur mon métier, quelques réflexions qui vont t'apparaître comme un couplet ?

J'ai écrit tout à l'heure qu'à seize ans j'avais la phobie de la foule – ou peut-être la peur de la foule et des hommes. Je t'ai parlé de laboratoires.

Eh bien! mon bureau est une sorte de laboratoire où se traite de la vie, de la matière humaine, indirectement, comme chez un biologiste. Le calcul des probabilités est une science et, appliqué aux individus, il devient aussi un art.

Je m'étais toujours promis de t'en parler un jour, avec la même fierté que je t'ai montré jadis mon bureau.

Sais-tu, par exemple, qu'il n'est pas de découverte médicale qui ne remette en question nos calculs? Que, même des changements dans les usages, dans les mœurs, dans la façon de boire ou de manger, nous obligent à réviser nos barèmes? Qu'un hiver modéré ou très froid représente, pour la compagnie, des différences de centaines de millions? Et je ne parle pas du nombre de voitures qui roulent sur les routes ni de la multiplication, dans les cuisines, d'appareils électriques de plus en plus compliqués.

C'est un peu comme si tout ce qui vit dehors, la foule qui grouille sous mes fenêtres et ailleurs, pénétrait dans mon bureau pour s'y réduire, en passant par le cerveau électronique, à quelques chiffres précis.

Je doute qu'à seize ans on soit sensible à cette poésie-là et je resterai pour toi un monsieur qui a choisi la voie la plus facile. Après tout, tu as peut-être raison.

Je te soupçonne même de penser que je n'ai pas le courage de vivre vraiment parce que, presque chaque soir, je m'enferme dans mon capharnaüm. Je sors peu. Les gens en chair et en os ne m'amusent pas et me fatiguent. Ou plutôt, c'est la tension de faire figure devant eux qui me fatigue, ce qui t'explique que, quand nous recevons, je ne tarde pas à me réfugier dans mon bureau.

Je passe pour y travailler, pour être un bourreau de travail. C'est faux. Si j'ai des documents étalés devant moi, le plus souvent je suis occupé, comme en cachette, à lire un livre, des Mémoires presque toujours – encore de l'homme décanté ! – et il m'arrive de ne rien faire du tout.

J'ai eu beau t'observer pendant des années, je n'ai jamais pu savoir si tu es plus satisfait de ta mère que de moi, je veux dire si ta mère ressemble davantage à celle que tu aurais choisie.

Elle se montre à la fois plus tendre et plus sévère avec toi et, s'il lui arrive de s'inquiéter à ton sujet, c'est d'un autre point de vue que le mien.

D'après ce qu'elle dit et sa façon d'agir, je sens qu'elle ne se pose pas de questions, qu'elle a une idée déterminée à ton sujet, non seulement une idée du garçon que tu es à présent, mais de ce que tu seras plus tard, de ce que tu *dois* devenir. Je suis même persuadé qu'elle sait le genre de femme qu'il te faut et que Mireille, dont le père sera ministre un jour, peut-être président du Conseil, ne lui déplairait pas comme bru.

Je ne m'acharne pas contre ta mère, j'espère que tu le comprends ? Tu es assez grand garçon et assez observateur pour savoir que nous ne sommes pas ce qu'on appelle un ménage heureux. Nous ne sommes pas malheureux non plus, mais les liens qui existent entre nous ne sont pas ce qu'on imagine qu'ils devraient être.

Nous nous sommes rarement disputés en ta présence ; nous en arrivons à ne plus nous disputer du tout, nous contentant de vivre ensemble le moins possible.

Cela ne s'est pas fait d'une façon consciente, voulue, du jour au lendemain, mais petit à petit, et je pourrais dire que cela a commencé quelques semaines ou quelques mois après notre mariage, de sorte que nous ne t'avons jamais donné l'image d'un vrai couple.

Je n'en veux pas à ta mère. C'est à moi que la faute incombe, puisque c'est moi qui me suis trompé, à la fois sur moi et sur elle.

Est-ce déjà le moment de te raconter cela et n'est-ce pas remonter trop vite si loin en arrière ?

Ces pages ne prétendent pas constituer un récit ordonné, d'abord parce que j'en serais incapable, ensuite parce que, en remontant notre histoire, je serais tenté de le faire d'une façon sèche, linéaire, et qu'ainsi je serais sûr d'avance de ne pas te communiquer ce que je cherche à te communiquer.

J'ai commencé par ton grand-père, puisque c'est à son enterrement que l'idée m'est venue de te parler ou de t'écrire. C'est lui aussi la pierre angulaire de cette construction provisoire qu'est notre famille. Et c'est lui, enfin, le personnage principal du drame Lefrançois.

Ta mère, que je ne connaissais pas en 1928, n'est apparue que beaucoup plus tard, en 1939, alors que tout était fini depuis longtemps et les destins fixés.

Nous n'étions ni l'un ni l'autre nouveaux dans la vie, puisque nous avions tous les deux trente et un ans et tous les deux un passé.

Honnêtement, elle m'a avoué le sien et je ne lui ai rien caché de la tragédie de La Rochelle.

Si je t'avais parlé de tout ceci au lieu de t'écrire, si je n'étais plus ou moins décidé à ne pas te remettre ces feuillets avant un certain nombre d'années, je passerais des détails sous silence. Je suis persuadé, d'ailleurs, que j'aurais tort en agissant de la sorte. Mais ce serait me conformer aux conventions qui veulent que la mère, pour ses enfants, ne soit pas une femme, mais un être presque sacré.

Ce que je te dirai d'elle ne te la fera pas moins aimer, au contraire, et je suis le seul qui risque quelque chose en allant jusqu'au bout de mes aveux.

Un incident sans grande importance vient encore faire dévier mon récit et je le relate ce soir, car il concerne justement ta mère, ta mère et toi, qui, tout à l'heure, vous êtes heurtés de front. N'est-ce pas une curieuse coïncidence ? J'avais écrit les dernières lignes vendredi avant de me coucher. Hier, samedi, nous sommes allés au théâtre, sans toi, car tu manifestes si rarement le désir de nous accompagner que nous ne te le proposons plus. Tu t'es rendu à ce que tu appelles une « surboum », mot qui hérisse ta mère, mais qui n'est pas ridicule, en somme, ni moins français que le mot « party » employé par les grandes personnes.

Aujourd'hui, dimanche, il a fait un temps exceptionnel pour novembre, plutôt un temps de janvier, très froid, avec le thermomètre aux alentours de zéro et un soleil aux rayons aiguisés par la vivacité de l'air, au point que, vers midi, Mlle Augustine a mis quelques instants son géranium à la fenêtre, ainsi qu'elle le ferait d'un malade ou d'un convalescent.

Ta mère est toujours plus nerveuse les dimanches que les autres jours, car, ce jour-là, les gens ne sont pas à leur place et elle est obligée de mettre un frein à son activité. Mme Jules, la femme de ménage, – Jules est vraiment son nom de famille, – ne vient pas et Émilie, qui n'est pas croyante, n'en profite pas moins de son droit d'aller à la messe. En outre, pour affirmer ses prérogatives, elle reste maquillée toute la journée, comme ses soirs de sortie, et répand un parfum à la fois fade et agressif.

Le problème, dès le matin, parfois dès la veille, est l'emploi du temps de l'après-midi, car il n'est pas question que nous restions tous les deux seuls à la maison. Or, les routes sont encombrées, on fait la queue à la porte des théâtres, les magasins sont fermés, les amis, qui chassent à cette saison ou qui ont une maison de campagne dans les environs, ne sont pas disponibles.

Ta mère, donc, a donné deux ou trois coups de téléphone et n'a eu d'autre ressource, en fin de compte, que de se rabattre sur les Tremblay. Tu les connais. Tremblay est à peine plus âgé que moi, encore que son embonpoint lui donne, à mon avis, d'autant plus l'aspect d'un homme de cinquante-cinq ans qu'il ne se soucie guère de sa tenue. Sa femme, de quelques années plus jeune, est boulotte, et on entend souvent dire d'eux :

— Ils ne pensent qu'à manger.

Peut-être les trouves-tu ridicules tous les deux, parlant cuisine avec des mines gourmandes, elle surtout, qui a une voix haut perchée, se teint les cheveux d'un roux flamboyant depuis qu'elle a commencé à grisonner, et, au lieu de rire, émet à tout instant un étrange gloussement que je ne connais qu'à elle.

Sais-tu qu'il y a un drame dans leur vie aussi, qu'ils ont perdu quatre bébés presque coup sur coup, parce qu'ils appartiennent à des groupes sanguins incompatibles ?

Ils ne pouvaient venir chez nous cet après-midi, car Tremblay était médecin de service, et ils ont tout de suite proposé que nous allions, en voisins, sans cérémonie, faire un bridge chez eux, avenue des Ternes, où l'on se tient dans un salon qui, pendant la semaine, sert de salle d'attente aux malades et où s'empilent de vieux magazines, ainsi que des revues qu'on ne voit que chez les docteurs.

Je n'ai pas écrit, ce matin. J'avais réellement du travail en retard et un rayon de soleil, vers onze heures, a atteint le coin de mon bureau, me rappelant ce que je te disais des périodes sombres et des périodes claires.

Juste comme nous nous mettions à table, le téléphone a sonné et ta mère a décroché, son visage exprimant qu'elle flairait une contrariété.

— Allô, oui ! C'est Alice... Il est ici, oui... Tu veux lui parler ?...

Bien que l'appareil fût loin de moi, je n'en percevais pas moins des résonances de voix et je savais déjà que ton oncle Vachet était au bout du fil.

— Ce n'est malheureusement pas possible, Pierre... Alain et moi avons un bridge cet après-midi, chez des amis...

Toi et moi restions assis devant les hors-d'œuvre et attendions en silence, sans y toucher, l'œil fixé sur une tache triangulaire de soleil qui faisait comme pétiller la nappe.

— Je comprends… Cela ne peut pas attendre à demain?…

Il fournissait des explications assez longues, qu'elle écoutait en regardant droit devant elle.

— Évidemment… Oui… Attends un instant… Je vais lui en parler…

Elle couvrait le micro de la main.

— C'est Pierre, qui désire nous voir cet après-midi afin de prendre les dernières dispositions pour la succession. Comme il part mardi pour une tournée de conférences en Angleterre, il a téléphoné au notaire afin d'obtenir un rendez-vous pour demain. Je lui ai dit que nous avions un bridge chez des amis, mais il insiste.

Je haussai les épaules. Cette histoire de succession n'est pas sans m'écœurer et j'ai hâte d'en finir.

— Tu n'auras qu'à téléphoner aux Tremblay qu'il nous arrive un empêchement imprévu, dis-je.

— C'est bien Pierre, de nous avertir à la dernière minute!… Allô, Pierre? Nous sommes très gênés vis-à-vis des amis qui nous attendent, mais, puisqu'il n'y a pas moyen de faire autrement… Comment dis-tu? Un instant…

Et, tournée vers moi :

— Ici ou quai de Passy?

Ta mère aurait préféré se rendre chez ma sœur et mon beau-frère, car cela aurait quand même fait une sortie, mais je n'en ai pas moins décidé :

— Ici.

Je crois qu'elle a compris pourquoi et qu'elle n'a pas osé insister. Je suis le fils Lefrançois et ton oncle n'est qu'un gendre. Je lui en voulais déjà de s'occuper d'une succession qui ne le regardait pas, mais qu'au moins il se dérange. Il a dû le comprendre aussi. Parce qu'il est un écrivain fort connu, sinon célèbre, il a tendance à croire que tout doit lui céder.

Est-ce que celui-là t'impressionne, et sa carrière te fait-elle rêver ? Dis-tu fièrement à tes camarades, quand on parle de lui dans les journaux ou quand tu les surprends à lire un de ses romans :

— C'est mon oncle !

Il est mon contemporain, puisqu'il n'a que quatre ans et demi de plus que moi. C'est un homme d'une activité débordante, qui a touché à tout, au théâtre, au cinéma, à la politique, et qui fait partie de nombreux comités.

Ma sœur Arlette elle-même, qui, à leurs débuts, se contentait de taper ses manuscrits à la machine, a éprouvé soudain, vers la quarantaine, le besoin de se créer une notoriété à elle et s'est mise à écrire, dans les revues féminines d'abord, un peu partout ensuite, de sorte qu'à certains cocktails, on les voit venir séparément, chacun à titre personnel.

J'aurai sûrement l'occasion de te reparler d'eux. Il le faudra bien, d'ailleurs, puisqu'ils ont joué plus qu'un rôle de témoins lors du drame de 1928. Pierre Vachet, qui venait d'épouser ma sœur, était alors chef de bureau à la préfecture de la Charente-Maritime, à la Quatrième Division, Deuxième Bureau : travaux publics et constructions. Je suis surpris de retrouver tout à coup ces précisions administratives que j'aurais juré avoir oubliées.

Il était maigre et dur, d'un blond roussâtre. Il n'est plus aussi maigre, mais il est resté dur et son crâne s'est presque entièrement dénudé, ce qui, au lieu de le vieillir, accentue le caractère de son visage.

— Commencez à manger. Je téléphone tout de suite aux Tremblay.

Ta mère, elle, je le dis sans méchanceté, est fière d'être la belle-sœur d'un homme dont on parle et se plaint que Vachet ne vienne pas plus souvent chez nous, qu'en fait il n'y mette pour ainsi dire jamais les pieds, se contentant, à l'occasion, de nous envoyer des places pour une première ou pour une générale.

— … Mon beau-frère, Pierre Vachet, qui prend mardi l'avion pour Londres, où il entreprend une tournée de conférences à travers l'Angleterre… Merci, Yvonne… Avec de vieux amis comme vous deux, je ne me gêne pas…

Je prévoyais que quelqu'un payerait pour ce contretemps, mais j'étais loin de me douter que ce serait toi. J'aurais plutôt parié pour la bonne qui, en nous servant, traînait autour de la table son écœurant parfum.

C'est à toi, pourtant, que ta mère a demandé soudain en déployant sa serviette :

— Qu'est-ce que tu fais, cet après-midi ?

Tu as répondu distraitement :

— Je ne sais pas.

— Tu sors ? a-t-elle insisté.

Tu as paru surpris, car il est rare que tu passes un dimanche entier à la maison.

— Je suppose, oui.

Je dois dire que, dans certains cas, comme celui-ci, tu as une façon exaspérante de répondre, et je suis persuadé que tu ne le fais pas exprès, que tu pèches par trop de simplicité, ou par distraction. Tu ne voyais pas pourquoi on te posait ces questions-là, alors que la plupart des dimanches on ne te demandait rien, et, du coup, ton visage prenait une expression butée.

— Tu supposes ou tu en es sûr ?

— Je ne sais pas, maman.

— Tu vas au cinéma ?

— C'est possible.

— Avec qui ?

— Je ne sais pas non plus.

— Tu ne sais pas avec qui tu sortiras tout à l'heure ?

Moi, qui ai été un garçon de ton âge, j'ai compris, mais je comprends aussi l'irritation de ta mère. Il est difficile aux grandes personnes de se convaincre que les grands corps que vous êtes sont encore comme flottants. Il m'est arrivé, jeune homme, de sortir sans but précis, de me diriger presque inconsciemment vers l'endroit où j'avais des chances de rencontrer des camarades : café, entrée de cinéma, ou simplement une rue déterminée, qu'on arpente sans fin.

On ne se donne pas la peine de fixer un rendez-vous, de se téléphoner. Et, si l'on ne rencontre personne, on va frapper à deux ou trois portes, en comptant sur sa chance.

Tout au moins en était-il ainsi pour moi.

Tu as répondu, la tête penchée sur ton assiette :

— Non, je ne sais pas.

— Où vas-tu les autres dimanches ?

— Cela dépend.

— Tu refuses de nous dire où tu passes ton temps ?

Tu te fermais toujours davantage et tes yeux devenaient presque noirs.

— Je te répète que cela dépend.

Ou bien il n'en va pas de même pour les filles, ou bien ta mère a oublié sa jeunesse, car elle a continué à insister, ignorant le besoin commun à tous les jeunes d'une vie secrète.

Te rappelles-tu, à ce sujet, quand tu es allé en classe pour la première fois, à cinq ans, et que le soir je te questionnais sur ce que tu y avais fait, tu es resté des mois à me répondre laconiquement :

— Rien.

— Tu n'as pas de petits amis ?

— Si.

— Qui est-ce ?

— Je ne sais pas.

— Qu'est-ce qu'on vous apprend ?

— Toutes sortes de choses.

Tu éprouvais déjà, d'instinct, le besoin d'une vie personnelle échappant à notre contrôle.

En y réfléchissant, c'est un sentiment que les mères ne doivent pas pouvoir admettre.

— Tu entends ce qu'il me répond, Alain ?

— Oui.

Qu'est-ce que je pouvais faire ?

60

— Tu admets qu'un enfant de seize ans refuse de dire à ses parents ce qu'il fait ?

— Écoute, maman… as-tu commencé, peut-être conciliant.

Trop tard ! La scène était amorcée et rien ne pouvait l'empêcher, désormais, d'aller jusqu'au bout.

— J'ai le droit, tu entends, et même le devoir de te réclamer des comptes, puisque ton père ne croit pas devoir le faire.

Tu as questionné, un peu pâle :

— Il faut te demander la permission chaque fois que je vais au cinéma ?

— Pourquoi pas ?

— Et chaque fois que je me rends chez un ami ? Ou que…

— Certainement.

— Tu connais des jeunes gens qui le font ?

Vous étiez aussi butés l'un que l'autre.

— J'espère qu'ils le font tous, en tout cas tous ceux qui sont bien élevés.

— Alors, pas un de mes amis n'est bien élevé.

— C'est que tu les choisis mal. Pour ce qui est de toi, tant que tu vivras sous notre toit, tu nous devras des comptes et…

Ta lèvre inférieure a tremblé. Elle tremblait déjà ainsi quand, enfant, tu étais en proie à une émotion violente. J'ai toujours soupçonné qu'à ces moments-là tu étais près des larmes, mais que l'orgueil t'obligeait à te raidir. Tu as rarement pleuré en notre présence et je me souviens d'une fois où, à trois ans, je t'ai trouvé en larmes au fond d'un placard où nous aurions pu t'enfer-

61

mer par inadvertance. Tu m'as lancé alors, à travers tes sanglots :

— Va-t'en ! Je te déteste !

Et, comme je t'arrachais de force à ta cachette, tu m'as donné des coups de pied, puis, en désespoir de cause, tu m'as mordu au poignet. T'en souviens-tu aussi, fiston ?

Tu n'as pas mordu ta mère, mais tu t'es levé d'une détente, sans trop savoir encore ce que tu allais faire. Tu l'as regardée, hésitant, et tu as enfin prononcé :

— Dans ce cas, il vaut mieux que je m'en aille tout de suite.

Il fallait bien que tu sortes de la salle à manger – dont, par-dessus le marché, tu as claqué la porte – et que tu te précipites vers ta chambre.

— Tu as entendu ? m'a lancé ta mère.

— Oui.

— Je t'ai toujours prévenu. Voilà le résultat de ton éducation.

Je me taisais et la pauvre Émilie, déroutée, se demandait si elle devait desservir ou non.

— Vous pouvez apporter le dessert, Émilie.

Et, à moi :

— Tu n'as rien dit. Tu as écouté avec l'air d'approuver. Car je sais que tu l'approuves.

Je ne pouvais pas dire oui. Je ne voulais pas mentir en disant non.

— J'espère, au moins, que tu vas le punir, ne fût-ce que pour m'avoir parlé comme il l'a fait ? Et d'abord, moi, à ta place, je l'empêcherais de sortir aujourd'hui.

Je me levai.

— Où vas-tu ?

— Le lui dire.

— Lui dire quoi ?

— Que je lui interdis de sortir.

— Je suppose que tu vas le consoler ?

— Non.

— Tu le feras quand même, sinon avec des mots, tout au moins par ton attitude.

Je me suis dirigé vers la porte sans répondre. La suite, tu la connais, à moins que tu ne t'en souviennes plus, car je ne dois pas perdre de vue que ce n'est peut-être que dans de nombreuses années que tu liras ces pages.

Je t'ai retrouvé sur ton lit, très long, le visage dans l'oreiller, mais tu ne pleurais pas. Tu as reconnu mon pas et tu n'as pas bougé.

— Écoute, fils…

Tu as légèrement tourné la tête, juste assez pour dégager ta bouche, mais sans rien me montrer d'autre qu'un profil perdu.

— Je n'ai pas besoin qu'on me parle, ni toi ni personne.

— Je suis venu t'interdire de sortir cet après-midi.

— Je sais.

Il y eut un silence pendant lequel un grincement de sommier a fait figure de vacarme. J'hésitais encore entre parler ou sortir quand tu as dit d'une voix un peu rauque :

— Je ne sortirai pas.

C'est sans doute, jusqu'ici, le moment de notre vie où nous avons été le plus près l'un de l'autre. Ta chambre a beau donner sur la cour et, par le fait, être sombre, l'image que j'en garderai aura, j'en suis sûr, la couleur du ciel de ce dimanche-ci.

Avant de sortir, je t'ai touché l'épaule, presque furtivement, et j'ai refermé sans bruit la porte derrière moi.

— Qu'est-ce qu'il a dit ?

— Il restera.

— Il pleure ?

J'ai hésité à mentir ; j'ai fini par dire non.

Vers quatre heures, alors que nous étions depuis un certain temps au salon avec ma sœur et Vachet, j'ai murmuré en passant près de ta mère :

— Tu n'oublies pas Jean-Paul ?

Elle m'a lancé un regard interrogateur et j'ai désigné la fenêtre au-delà de laquelle le soleil se couchait. Par une mimique, je lui demandai :

— Oui ?

Elle a compris.

— J'y vais, a-t-elle annoncé.

Les deux autres, qui n'ont pas d'enfant et qui n'en veulent pas, étaient perdus. Je me suis contenté de dire :

— Une petite histoire de famille.

J'ai rempli les verres de whisky, car Vachet et ma sœur ne boivent rien d'autre, par goût ou par snobisme, ceci est leur affaire. Quand ta mère est revenue au salon, elle était détendue. Tournée vers le couple, elle a murmuré :

— Il va passer vous dire bonsoir avant de sortir.

Puis, tout un temps, elle a évité de rencontrer mon regard.

Quand tu as été parti, la discussion a recommencé et, si j'y ai pris peu de part, ta mère s'est chargée, mieux que je ne l'aurais fait, de défendre nos intérêts.

Pierre Vachet gagne plus d'argent que moi et ma sœur, de son côté, n'est pas sans gagner honorablement sa vie, mais ils mènent une existence coûteuse et souvent – sauf pendant les deux dernières années – ta tante est venue me trouver au bureau pour que je l'aide à faire face à une fin de mois difficile.

Déjà, lors du décès de ma mère, Vachet m'avait demandé, avec l'air de n'y pas toucher :

— Je suppose que tu n'as pas l'intention d'habiter un jour cette baraque ?

Je ne pouvais pas lui dire que si, car je n'ai aucun désir d'habiter Le Vésinet et il y a des lustres que les Parisiens n'y passent plus leurs vacances.

Ton grand-père vivait encore, à cette époque-là. Cependant, j'ai appris peu après, de source certaine, – on apprend beaucoup de choses dans les compagnies d'assurances, – que ton oncle avait pris contact avec une société immobilière en vue d'une vente éventuelle.

Il ignore que je suis au courant. Aujourd'hui encore, je me suis tu quand il m'a dit :

— Un ami, qui est dans les affaires, m'a demandé incidemment quelles étaient nos intentions et m'a affirmé que le moment était opportun pour en tirer un bon prix.

Ta mère, que je n'avais pourtant pas mise dans le secret, m'a regardé, car elle a tout de suite compris. Si la villa elle-même ne vaut pas lourd, dans son état actuel, la propriété n'en a pas moins une certaine valeur à cause du terrain. Déjà, dans la rue, des immeubles neufs de six étages encadrent les quelques pavillons qui subsistent. Il est question de construire un nouveau groupe de maisons modernes et ce n'est possible qu'en rasant Magali.

J'y suis résigné, même si ma mère et mon père y sont morts, mais je n'ai pu m'empêcher, tout l'après-midi, d'avoir le visage aussi fermé que le tien quand tu t'es révolté contre ta mère.

Je sais qu'il y a, derrière les instances de Vachet pour que nous vendions vite, une combinaison en train, et l'on m'a affirmé qu'il doit recevoir, en guise de commission, un certain nombre d'actions de la société immobilière.

C'est ta mère qui a discuté les chiffres, le mode de paiement, les moyens plus ou moins légaux à employer pour verser le moins possible au fisc.

Il est convenu que nous irons demain chez le notaire. Mon père n'ayant pas laissé de testament, ses biens seront partagés par moitié entre ma sœur et moi.

Tout cela n'était déjà ni bien joli, ni bien agréable, mais, où je me suis raidi, c'est quand, son verre à la main, Vachet a commencé sur un ton négligent :

— Il faudra aussi que nous parlions des livres car, pour le reste, je suppose que l'on fera une vente à l'encan ?

Le reste, ce que ton oncle destinait à la vente à l'encan, ce sont les quelques meubles parmi lesquels mon père et ma mère ont passé leurs dernières années.

Ma sœur a eu le front d'intervenir :

— Sauf pour le bonheur-du-jour en marqueterie de maman, qu'elle m'a toujours promis. Je ne l'ai pas réclamé quand elle est morte, mais maintenant que…

— Tu savais, Alain, m'a demandé ta mère, que le bonheur-du-jour avait été promis à Arlette ?

J'ai dit sèchement, durement :

— Non !

— Voyons, Alain ! Tu sais bien que, quand nous étions encore à La Rochelle…

— Non !

— Tu as mauvaise mémoire. Il est vrai que tu as si peu connu maman.

— Ce que je désire savoir, c'est ce que ton mari allait dire au sujet des livres.

— Je voulais simplement te faire une proposition, mais tu ne parais pas de bonne humeur.

— Je t'écoute.

— Tu y tiens ?

— Oui.

— J'ai mieux connu que toi la bibliothèque de ton père car, à La Rochelle, j'étais marié et avais déjà écrit mon premier roman, alors que tu n'étais qu'un étudiant qui ne s'intéressait pas à grand-chose. Tu as choisi une carrière que tu appelleras administrative ou scientifique, comme tu voudras, alors que ton père collectionnait surtout les Mémoires historiques et les ouvrages philosophiques.

Mon père, en réalité, aimait tous les livres. C'était en outre un bibliophile et, à La Rochelle, précisément, il ne ratait jamais un encan du samedi à la salle du Minage. Il avait son coin, comme moi, non pas un capharnaüm, mais un bureau presque majestueux dont les murs étaient garnis de riches reliures.

Ces livres-là, qui étaient son sujet de conversation favori, il les avait gardés jusqu'à son dernier jour, et c'est sans doute eux qui l'avaient aidé à supporter la seconde partie de sa vie.

— Étant donné ma profession, continuait ton oncle, j'ai pensé que nous pourrions…

Je ne l'ai pas mis à la porte. Je ne l'ai pas giflé. Ce qu'il me proposait, non sans condescendance, c'était que la bibliothèque lui revînt en entier, tandis que, pour ma part, je recevrais le produit de la vente des meubles et objets divers.

Il se méprenait sur mon immobilité, sur mon silence, car je restais enfoui au fond de mon fauteuil, les mains jointes, le regard fixé sur le tapis. Il s'efforçait encore de m'allécher.

— La plupart des meubles sont anciens, et les pièces authentiques, aujourd'hui, se vendent un prix exorbitant, sans compter les quelques tableaux, qui ne sont pas sans valeur.

Alors, agissant un peu comme tu l'avais fait à midi, je me suis levé d'une pièce et j'ai dit simplement :

— Non !

Je devais avoir l'air catégorique, car il y a eu un silence assez long pour que je sorte de la pièce et que, toujours à ton imitation, je fasse claquer la porte derrière moi.

Je ne suis pas allé m'étendre sur mon lit, mais c'est tout comme. Je me suis contenté de m'asseoir à mon bureau où je suis resté à ressasser ma rancœur jusqu'à ce que ta mère vienne m'annoncer :

— Ils sont partis.

Elle a ajouté, en s'asseyant en face de moi dans la pièce sombre, éclairée seulement par la lampe à abat-jour de parchemin posée près du sous-main :

— Tu as bien fait de sortir. Tu n'aurais pas pu te contenir.

— Il a dit quelque chose ?

Je m'en doutais. Elle a hésité une seconde.

— Oui.

— Quoi ?

— Tu y tiens ?

Je fis un signe affirmatif.

— Que tu avais fait assez de mal à toute la famille, ton père compris, pour adopter maintenant une attitude plus décente. Excuse-moi, Alain. C'est toi qui l'as demandé.

— Qu'avez-vous décidé ?

Elle a eu alors un petit sourire de triomphe.

— Nous gardons les livres et ils ont le produit de la vente.

— Le bonheur-du-jour ?

— Je l'ai abandonné à ta sœur, car il n'irait pas dans notre chambre, mais tu gardes le bureau et le fauteuil de ton père. Tu sais ce que nous allons faire à présent ?

— Non.

— Nous allons dîner en ville.

Elle avait raison. Cela valait mieux.

Drôle de journée, car nous t'avons rencontré au pied de l'ascenseur.

— Tu viens dîner en ville avec nous, Jean-Paul?

Tu n'as hésité qu'une seconde et, pour une fois, tu nous as accompagnés au restaurant.

3

C'est en mars 1939 que j'ai rencontré ta mère, qui s'appelait alors Alice Chaviron, et nous venions tous les deux, à un mois de distance, d'avoir nos trente et un ans.

Pour les hommes de ma génération, le printemps 1939 n'est pas un printemps comme les autres. Nous l'avons vécu, non pas à notre rythme propre, mais à celui des événements mondiaux.

Quelques mois plus tôt, à l'automne 1938, nous avons été mobilisés et envoyés aux frontières avec, chez la plupart d'entre nous, la quasi-certitude de n'en pas revenir. Pour ma part, sous-lieutenant d'infanterie de réserve, j'avais été acheminé vers les Flandres, sous le ciel bas du Nord qui crevait sans cesse comme une outre rapiécée. Tout était mouillé, boueux et froid, la route, les camions dans lesquels nous étions entassés, les arrière-salles d'auberge dans lesquelles on nous faisait dormir lorsqu'une halte était enfin décidée. On voyait, dans les villages, des gendarmes descendre de vélo et frapper aux portes pour remettre les feuilles d'appel individuelles car, pour des raisons politiques qui nous échappaient, on n'avait pas procédé à la solennelle mobilisation générale.

C'est sur ces routes-là que j'ai vu en sens inverse les premières colonnes de voitures avec des matelas sur le toit et, à l'intérieur, des familles entassées parmi leurs biens les plus précieux. Je me souviens de certaines localités que nous traversions dans la grisaille, tels des fantômes, et qui nous apparaissaient plutôt comme de sinistres décors que comme des villages ou des petites villes réelles : Crécy-en-Ponthieu, Desvres, les faubourgs de Boulogne, où régnait une âcre odeur de hareng, Hardinghem, Berck, dont on évacuait les hôpitaux pour allongés et, enfin, devant les poteaux noir, jaune et rouge et les routes pavées de la frontière belge, Hondschoote, où nous nous sommes enfin arrêtés.

La plupart des hommes, autour de moi, étaient mornes, résignés, alors qu'au contraire, pour des raisons personnelles, je ressentais une certaine ivresse. Je dirais presque que je savourais l'ironie du sort à mon égard, comme si la catastrophe qui s'annonçait n'avait été déclenchée que pour se moquer de mes efforts.

Deux mois auparavant, à peine, j'avais enfin passé mes derniers examens et obtenu mon diplôme d'actuaire. Je n'étais pas encore dans le bureau que tu connais mais, depuis deux ans, dans celui, au-delà du bureau des secrétaires, où tu as vu la machine à statistiques qui t'a impressionné.

En réalité, lorsque je suis entré, à vingt et un ans, dans l'immeuble de la rue Laffitte, grâce à des appuis plus ou moins occultes, – ton oncle Vachet n'a pas menti sur ce point, – j'ignorais jusqu'à l'existence de l'actuariat. Je venais de passer ma licence en droit et je préparais mon doctorat. Mais, à cause des événements de 1928, il me fallait travailler pour vivre et pour payer mes études.

Tout naturellement, on m'avait placé, dans l'aile droite du troisième étage, au service juridique où, sous la direction d'avocats chevronnés, on ne me confiait encore que la préparation des dossiers les moins importants.

Tu comprendras plus tard pourquoi je me devais et devais aux autres d'arriver coûte que coûte et pourquoi j'avais fait, sans grandes phrases, sans romantisme, le sacrifice de ma jeunesse.

Ces dix années ont été pour moi des années de labeur continu, sans vacances, sans distractions. Je ne quittais les bureaux de la rue Laffitte que pour m'enfermer dans ma chambre meublée de la rue de Paradis et, parfois, quand c'était possible, pour assister à un cours.

Je n'en ai pas moins passé ma thèse à vingt-cinq ans et j'aurais pu m'arrêter là, devenir stagiaire, m'inscrire au Barreau.

Un jour, vers cette époque, comme elle avait appris par notre père ma décision de poursuivre d'autres études et de préparer l'actuariat, ma sœur a prononcé, en me regardant dans les yeux :

— Avoue que tu te punis ?

Exprimé d'une façon aussi simpliste, c'est faux, et je lui en ai longtemps voulu de l'assurance avec laquelle elle croyait me deviner, mais il y avait certainement, dans ma fureur de travail de ces dix ans, un obscur besoin de punition.

Même moi, qui crois me connaître, je ne suis pas exact. Punition n'est pas le mot. Rachat encore moins. Je dirais plutôt que je me sentais une dette vis-à-vis de mon père, de lui seul, j'insiste sur ces mots, et que je n'avais trouvé que ce moyen de m'en acquitter.

J'avais peu de besoins, en dehors de mes livres, et je me suis offert un jour un cadeau : j'ai quitté l'hôtel que j'habitais, rue de Paradis, toujours encombrée de camions dans lesquels on chargeait des caisses de verrerie et de faïence, pour une chambre plus spacieuse, encore que vieillotte et basse de plafond, dans un meublé du quai des Grands-Augustins, où ma fenêtre donnait sur la Seine.

J'avais découvert l'actuariat et je m'y passionnais. Mon existence restait austère et, pourtant, j'en ai gardé un souvenir clair et léger comme les quais sous le soleil que tamisaient les marronniers.

C'est sur ma demande, alors qu'au service juridique j'allais monter en grade et recevoir une augmentation, que je suis passé, comme simple commis, comme manipulateur de la machine, à l'actuariat.

Je ne connaissais presque rien aux mathématiques et toute mon activité allait désormais se dérouler dans un monde de chiffres et d'équations.

Les difficultés que je rencontrais dans une branche nouvelle pour moi, et jusqu'à l'humilité de mon nouveau poste, me procuraient une satisfaction secrète dont je ne parlais même pas à mon père lorsque je me rendais, le dimanche, au Vésinet. Pendant toute cette période, je n'ai jamais manqué un dimanche à la villa Magali, où ma sœur ne faisait que de rares et rapides apparitions et son mari, déjà lancé dans la vie littéraire, de plus rares encore.

Cinq ans te paraissent longs, mais les années deviennent de plus en plus courtes à mesure qu'on avance dans la vie, d'autant plus courtes qu'elles sont moins marquées par des événements importants.

En 1938 donc, au début d'un été chaud et savoureux, j'ai décroché mon dernier diplôme, mais, comme j'avais dû prendre un long congé pour préparer mon examen, j'ai passé les mois d'août et de septembre au bureau, remplaçant tour à tour ceux qui partaient en vacances.

J'étais très maigre alors, tu en as été surpris en voyant une de mes photographies. Je me sentais vide, sans énergie, avec seulement la satisfaction d'avoir accompli une tâche difficile.

Que me restait-il à faire? Les heures jadis consacrées à l'étude devenaient des heures vides, que j'étais devenu maladroit à remplir. En dehors du bureau, j'étais aussi dérouté qu'un homme descendu à l'hôtel de la Gare dans une ville étrangère où rien ne l'attend.

Je n'avais plus qu'à suivre la filière et monter lentement en grade.

Or, voilà qu'au moment précis où je me trouvais ainsi devant un vide, le monde s'agitait en préparation d'une guerre, les journaux en parlaient depuis huit jours à peine que je recevais une feuille d'appel individuelle et que je revêtais mon uniforme.

N'y avait-il pas là une ironie presque grisante? Dix ans d'efforts surhumains, de vie monacale, de punition, pour parler comme ma sœur, puis, aussitôt le but atteint, ces routes boueuses menant aux Flandres et à la mort.

Or, j'étais gai, non pas d'une gaieté en surface, mais d'une gaieté profonde. J'avais cru devoir me charger de mon destin. J'avais fait honnêtement mon possible. J'étais arrivé au bout de ma tâche et, alors que, désemparé, je me demandais quel nouveau but me fixer, le sort décidait à ma place.

De Hondschoote, je revois les maisons basses, le ciel presque aussi bas, la pluie, les flaques d'eau, les cuivres astiqués dans les cafés, et mes narines retrouvent encore l'odeur de bière mélangée à celle de l'alcool du pays.

Il était quatre heures environ, un après-midi, et, un ciré sur le dos, je me tenais avec quelques autres près de la barrière du poste-frontière, quand un douanier belge en jaillit, le feu aux joues, les yeux brillants. Dans le poste, on entendait encore une voix à la radio, mais l'homme n'avait pas voulu attendre la fin pour nous crier, les bras tendus dans un élan d'allégresse :

— C'est la paix, mes amis ! Vous pouvez retourner chez vous.

Il riait nerveusement. Ses yeux étaient mouillés de pluie et de larmes.

C'était Munich et, quelques jours plus tard, en effet, je me retrouvais, démobilisé, dans l'immeuble de marbre de la rue Laffitte.

Ce n'était pas la paix, beaucoup s'en rendaient compte, mais un sursis, et c'est pourquoi les mois qui suivirent ne furent pas des mois comme les autres.

Je n'ose pas dire qu'on les dégustait, mais il me semble qu'on était attentif à mieux les vivre, à en savourer toutes les joies.

Moi comme les autres, qui venais pourtant d'accepter la guerre avec un quasi-soulagement. Je n'essaie pas d'expliquer la contradiction. Même la pleurite, que je fis en décembre, ne me parut pas pénible. Malgré les conseils du médecin, qui insistait pour que j'entre en clinique ou que j'aille me faire soigner chez mes parents, je restai quai des Grands-Augustins, où la femme de chambre, à ses moments perdus, me servait d'infirmière. Dans mon lit, je lisais du matin au soir, en écoutant les bruits du dehors. C'est pendant cette période-là que j'ai lu les Mémoires de Sully, dont une nouvelle édition venait de paraître, puis, pour la seconde fois, ceux du cardinal de Retz, que mon père m'avait apportés dans une reliure d'époque.

Lorsque j'ai repris mon travail, en janvier, j'étais pâle et mal assuré sur mes jambes. En février, j'ai eu une rechute sans gravité mais, une fois rétabli, je me trouvais si décollé que, sur l'insistance de mon chef direct, – celui dont j'ai pris la place quand il a été mis à la retraite, – j'ai sollicité un congé de convalescence.

Une partie de ma petite enfance s'est passée à Grasse, au temps où mon père y était sous-préfet, et l'envie me prit de revoir la Côte d'Azur où je n'étais jamais retourné. Je suis descendu à Cannes, seul avec ma valise et quelques ouvrages sur les calculs de probabilités, et j'ai trouvé, au Suquet, qui domine le port et la ville, un hôtel-pension dont les murs blancs étaient entourés de mimosas et d'eucalyptus.

De ma fenêtre, je regardais moins les yachts du bassin et la mer que les toits de la vieille ville qui m'offraient toute la gamme des roses. Je dominais les balcons, les fenêtres ouvertes sur des intérieurs où, dans le clair-obscur, des familles, et surtout de vieilles gens, menaient leur existence quotidienne.

J'ai eu le tort, un matin de soleil presque chaud, de me laisser tenter par le miroitement de la mer et d'aller me baigner, tout seul sur l'immensité de la plage.

Deux jours plus tard, j'avais quarante de température et, à demi-conscient, j'entendais des étrangers chuchoter autour de moi. Le lendemain, on m'emmenait en ambulance dans une clinique dont les fenêtres donnaient sur un jardin qui ressemblait à un jardin de couvent.

C'est là que je devais faire la connaissance d'Alice Chaviron, infirmière, qui deviendrait ma femme et ta mère.

Si je t'ai décrit en détail cette époque de mon existence, c'est pour que tu connaisses mon état d'esprit au moment où elle allait changer. J'étais dans la vie sans y être, comme en sursis. Je me sentais sans attaches, sans raison de faire ceci plutôt que cela.

Je suis obligé d'ajouter un détail qui a son importance. Pendant les dix dernières années – et tu sauras pourquoi par la suite – je n'avais eu aucune liaison féminine, me contentant, de temps à autre, de relations sans lendemain.

De mes premiers jours à la clinique, je ne garde qu'un souvenir confus, mais chaud et lumineux comme certains souvenirs de la prime enfance. La pénicilline et ses dérivés n'existaient pas encore et il est possible, comme on me l'a affirmé par la suite, que j'aie failli succomber à une congestion pulmonaire.

Les infirmières changeaient selon les heures de la journée ou de la nuit et toutes faisaient leur métier en conscience. Je n'en détestais pas moins la plus âgée, qui avait l'accent russe – elle devait être une Russe émigrée – et qui traitait les malades avec une trop visible condescendance.

Il y en avait une autre, du pays, sentant l'ail, une femme brune et courte sur pattes, d'une cinquantaine d'années, qui me parlait comme à un enfant et qui, pour faire mon lit, semblait jongler avec moi.

Quant à ta mère, l'âge ne l'a guère changée. Elle était aussi vive, aussi remuante qu'à présent. La seule différence, c'est qu'en ce temps-là il y avait en elle une légèreté qui s'est atténuée. Je dis légèreté et non insouciance, car je ne crois pas qu'elle ait jamais été insouciante et je soupçonne, sous son enjouement, un fond de sérieux et même d'inquiétude, peut-être un sentiment d'insécurité.

Se considérait-elle, comme moi, en sursis ? C'est improbable. Elle n'en était pas moins arrivée à Cannes, quelques mois avant moi, dans des conditions presque semblables, en ce sens qu'elle était à un tournant, elle aussi, à l'aurore d'une nouvelle phase de sa vie.

Comme je te l'ai dit, je l'ai vue d'abord à travers un brouillard de fièvre et de soleil et j'ai connu sa voix avant que mes yeux puissent se fixer sur elle.

Elle m'a connu, elle, maigre et suant, et a manié mon corps blême en lui donnant les soins les plus intimes, avant de savoir qui j'étais.

C'est ce qui m'a gêné, au début, lorsque nous avons commencé à nous parler et, tandis que je n'en voulais pas aux deux autres de m'avoir vu en état d'infériorité, j'ai été un certain temps à lui en vouloir à elle.

Ce n'était pas de l'amour. Il n'y en a jamais eu entre nous. C'était de la pudeur et j'en aurais sans doute éprouvé autant vis-à-vis d'un camarade de son âge.

Si je me souviens bien, les premières paroles qu'elle m'a adressées furent :

— Aujourd'hui, vous avez droit à un bouillon de légumes, à une biscotte et à de la confiture. Vous avez faim ?

À vrai dire, elle me fatiguait un peu par sa vivacité, car elle était sans cesse en mouvement, avec l'air de faire plusieurs choses à la fois.

L'autre infirmière, Mme Buroni, celle qu'à part moi j'appelais la jongleuse, était rapide aussi, mais parvenait à tout accomplir comme sans y toucher et sans déplacer d'air.

— Vous n'avez pas d'amis ou de parents sur la Côte ? m'a-t-elle demandé en surveillant mon premier repas.

— Personne.

— Et à Paris ? Vous habitez Paris, n'est-ce pas ?

— Oui. Je n'ai que mes parents, au Vésinet.

— Vous habitez avec eux ?

Je fis signe que non.

— Demain ou après, vous pourrez leur écrire quelques mots.

— Merci.

Je n'ai connu ses origines qu'un peu plus tard, car elle prit vite l'habitude, quand elle avait quelques minutes de libres, de venir les passer dans ma chambre, laissant la porte entrouverte afin d'entendre la sonnerie, et c'était rare que nous ne soyons pas interrompus par le son grêle, presque toujours insistant, de cette sonnerie.

— Ils sont tous impatients, à croire qu'ils vont mourir !

Ou encore elle me disait :

— Bon ! C'est le 17 qui réclame son lavement.

Après trois jours, je connaissais, sans les avoir vus, mes voisins et mes voisines d'étage, et j'étais au courant de leurs maux comme de leur humeur.

Nous avons eu un mort, une nuit, un vieillard atteint de cancer, et j'ai été réveillé par des pas feutrés et des chuchotements dans le couloir, par des appels téléphoniques, enfin par les heurts de la civière. La veille, j'avais vu passer le prêtre qui nous rendait parfois visite. Alice Chaviron était en service et, quand elle est entrée chez moi, à sept heures du matin, son visage était aussi frais et souriant que les autres jours.

— Vous avez entendu ?

— Oui.

— Cela vaut mieux pour lui. J'en veux seulement à ses enfants qui, en trois semaines, ne sont venus le voir qu'une seule fois. Pourtant, une de ses filles habite Nice et son fils tient un garage à Grasse. C'est un émigrant italien, qui est arrivé ici sans un sou. Il a débuté comme maçon et il leur laisse une véritable fortune. Maintenant qu'il est mort, ils vont accourir et se mettre à pleurer.

Elle m'a regardé en souriant.

— Vous n'avez pas été impressionné ?

— Non.

— Il y a des malades que cela secoue et nous essayons, lorsque cela arrive, de ne pas faire de bruit.

— Où est-il ? ai-je demandé.

— En bas. Il y a une pièce spéciale, au sous-sol.

— Vous êtes infirmière depuis longtemps ?

— Voilà neuf ans que j'ai mon diplôme et j'ai le même âge que vous.

— Comment connaissez-vous mon âge ?

— Je l'ai vu sur votre fiche. Vous êtes mon aîné d'un mois et de trois jours.

Vers le milieu de la journée, l'air était assez chaud pour qu'on laisse ma fenêtre ouverte et je voyais le haut d'un platane et les taches vert sombre d'un pin-parasol dont les aiguilles se dessinaient sur le bleu du ciel.

Je ne lisais pas encore. Je ne faisais rien, qu'attendre l'heure du médecin, deux fois par jour, celle de la toilette, du ménage, et surtout les heures des repas qui prenaient une importance primordiale.

Le plus pénible, c'était la toilette du matin, à laquelle je pensais d'avance avec horreur, et c'était seulement après que je commençais à vivre, le corps propre dans les draps frais, débarrassé des nécessités humiliantes.

J'avais écrit une carte à mon père et à ma mère, leur parlant de mes vacances sans leur avouer que j'étais malade, et c'est Alice Chaviron qui téléphona à l'hôtel pour qu'on fasse suivre mon courrier à la clinique.

Nous ne nous doutions ni l'un ni l'autre que nous allions passer le reste de notre vie ensemble et, si nous nous observions, c'était un peu comme on observe ses voisins dans un train ou dans une salle d'attente.

82

Nous étions tous les deux sans attaches, avec, chez celle qui allait devenir ta mère – elle me l'a confié plus tard – la même sensation de flottement que j'éprouvais depuis quelques mois.

Tout se passait comme si nous nous étions dit :

— Les heures présentes ne comptent pas. Demain, le mois prochain, Dieu sait quand, la vraie vie recommencera.

C'est ce qui est arrivé, d'une façon différente de celle que nous aurions pu prévoir.

Ce qui suit, je l'ai appris bribe par bribe, à Cannes, d'abord à la clinique, puis pendant ma convalescence, le reste après notre mariage.

Le père d'Alice, qui était normand et assez fier de s'appeler Guillaume, comme Guillaume le Conquérant, de qui il se prétendait un des nombreux descendants, était né à Fécamp, rue d'Étretat, de parents modestes, puisque son père était caviste à la Bénédictine.

Premier de classe dès son entrée à l'école, on l'avait encouragé à poursuivre ses études et, de bourse en bourse, aidé aussi par les fabricants de la fameuse liqueur, il avait passé son agrégation en histoire et était devenu professeur de lycée.

Ce n'est pas à Nice que ta mère est née, mais à Bourges, où son père avait été nommé d'abord, et ce n'est que quand elle a eu trois ou quatre ans qu'il a été désigné pour la Côte d'Azur.

Il y a ainsi un point commun entre sa famille et la mienne, puisque mon père, dans la carrière préfectorale, est passé par différentes sous-préfectures et préfectures avant de devenir préfet hors cadre à La Rochelle.

Nous avons découvert, en confrontant les dates, que ta mère et moi étions tous les deux sur la Côte, séparés par quelques kilomètres, elle à Nice et moi à Grasse, quand nous avions cinq et six ans.

J'en suis parti et elle est restée.

Nous sommes passés il y a quelques années avec toi, en voiture, devant la maison où ta mère a vécu et nous avons échangé un regard, elle et moi, car elle me l'avait déjà montrée.

Te souviens-tu de ces vastes immeubles de style italien qui forment le vieux quartier, entre la place Masséna et le port, avec, pour centre, le marché ? Les façades sont plates, sans ornement, peintes en un rouge qu'on ne trouve pas ailleurs, ou en ocre, avec, partout, les mêmes volets vert pâle qui, pour conserver de la fraîcheur dans les logements, restent clos presque toute la journée.

Si l'on passe en plein jour dans les rues, on a l'impression que ces maisons-là, qui font penser à des casernes, sont inhabitées, mais, dès le soir, lorsque les volets s'ouvrent, on découvre que chaque alvéole a fait son plein d'humanité, au point qu'elles regorgent et qu'une partie de la population attend, sur les trottoirs, l'heure de se coucher.

Ta grand-mère maternelle s'est-elle sentie à son aise dans ce Midi où le plus clair de l'existence s'écoule en public ?

Elle vit encore. Tu la connais. Elle est venue nous voir une seule fois, car elle est âgée et les voyages lui ont toujours fait peur. Depuis son veuvage, elle est retournée à Fécamp où, chez une cousine qui a son âge et ne s'est

84

jamais mariée, elle passe ses vieux jours à deux cents mètres de la Bénédictine.

Tu l'as vue là-bas aussi, dans la petite maison sombre où règne une si étrange odeur, celle de deux vieilles emmitouflées de lainages et celle du poisson qu'on débarque dans le port.

Du poisson, la mère de ta mère en a vendu autre-fois dans les rues, poussant sa charrette à bras sur les pavés gras de Fécamp. Ta grand-mère était une belle fille à peu près inculte, qui n'avait pas passé son certificat d'études, et dont le sort n'a pas moins fait la femme d'un professeur.

Cela t'aide peut-être à comprendre ta mère? Je n'affirmerais pas qu'elle a honte de ses origines. Néanmoins, dès le début, j'ai senti qu'elle avait souffert de vivre dans le vieux quartier, dans un immeuble plein à craquer de petit peuple.

Professeur, pour ces gens-là, c'est un titre prestigieux, et des voisins venaient trouver ton grand-père Chaviron pour écrire une lettre ou demander un conseil, parfois pour arbitrer un différend.

Je ne l'ai pas connu, car il a succombé à une crise cardiaque quelques années avant mon séjour à Cannes et sa femme avait aussitôt regagné la Normandie.

J'ai vu ses portraits. On en trouve deux dans notre album et tu les connais. Devant l'objectif, il a pris un air sévère, presque farouche. Par ce que j'en sais, pénétré de son importance, fier du chemin qu'il avait parcouru et des efforts que cela lui avait coûtés, il se montrait volontiers solennel.

Je crois, entre nous, qu'il n'a pas tardé à souffrir de la vulgarité de sa femme. Ils avaient quatre enfants, à cette époque. Ta mère était la plus jeune. Chaque franc comptait ; la famille était plus pauvre, en réalité, obligée de faire figure, que les ménages de petites gens qui les assourdissaient de leur vie débraillée.

Le sort des quatre enfants a été différent. Émile, le seul garçon, s'est engagé à dix-sept ans dans la marine, l'a quittée cinq ans plus tard pour s'installer à Madagascar, d'où non seulement il n'est pas revenu, mais d'où il n'a jamais donné de ses nouvelles. On sait seulement, par des fonctionnaires venus de là-bas, qu'il a épousé une indigène et qu'il en a huit ou dix enfants.

C'est sans doute par crainte de te donner un mauvais exemple que ta mère ne te parle jamais de ton oncle Émile. L'aînée des filles, Jeanne, a épousé un garçon épicier italien qui a ouvert un commerce à Antibes, où il a fait de mauvaises affaires, puis à Alger. C'est là que Jeanne a rencontré un Anglais et l'a épousé après avoir divorcé. On te parle parfois de ta tante Jeanne, qui nous envoie, chaque année, du Devonshire, des souhaits de nouvel an.

Quant à Louise, qui n'avait qu'un an de plus que ta mère, elle est entrée aux Carmélites.

Ta mère, elle, après avoir passé son bachot, est entrée, à dix-sept ans, comme dactylo, dans une agence de locations. Brusquement, après quelques mois, elle a décidé de changer de carrière et de suivre des cours d'infirmière. Comme elle restait la dernière à la maison, ton grand-père a été heureux de l'y garder pendant le temps de ses nouvelles études.

De ce qui s'est passé à l'agence de locations, je ne sais rien de précis. Quand j'y ai fait allusion, j'ai vu le visage de ta mère s'assombrir et elle s'est contentée de dire :

— N'en parlons pas, veux-tu ? J'étais une petite dinde bourrée d'idées fausses.

J'y ai souvent pensé et j'en suis arrivé à la quasi-certitude qu'il ne s'agit pas seulement d'une désillusion, comme en connaissent la plupart des jeunes filles, mais d'une humiliation.

Or, tu as pu t'en rendre compte, ta mère est orgueilleuse. Elle a voulu un emploi plus neutre, plus personnel que le secrétariat, et je crois comprendre son choix.

Son diplôme obtenu, elle aurait pu rester à Nice. Elle a préféré entrer dans un hôpital de Paris, dans le service d'un professeur pour qui des amis lui avaient remis une recommandation. C'est le professeur B…, un célèbre cardiologue dont on étudie encore les ouvrages et qu'on cite volontiers comme le prototype de ce qu'on appelle un grand patron.

Ta mère, fraîche débarquée du Midi, dont elle gardait une pointe d'accent, avait vingt-deux ans. Il en avait quarante-six, presque mon âge aujourd'hui. (Laisse-moi te conseiller en souriant d'attendre, pour juger, d'avoir cet âge-là, et ne parle pas trop vite de vieillard.)

Ce qui s'est passé, je le comprends et tu le comprendras un jour. Que le professeur B… l'ait aimée, cela ne fait pas de doute et il est probable que, s'il n'avait pas été catholique et s'il n'avait pas eu pitié de sa femme, il aurait divorcé pour épouser ta mère.

Celle-ci, de son côté, a-t-elle eu pour lui de l'amour ? J'en suis moins sûr ; elle lui vouait certainement une grande admiration et un dévouement absolu.

Pendant près de deux ans, elle a travaillé à l'hôpital, où le professeur passait chaque matin, entouré de ses élèves, et il importe peu de savoir s'ils se rencontraient ailleurs.

La suite a été plutôt l'effet du hasard que d'un plan préconçu. À son domicile, où il recevait ses patients, le médecin avait une assistante personnelle qui lui servait également de secrétaire. Elle avait trente-huit ans et tout laissait prévoir qu'elle finirait ses jours au service de son patron, quand elle rencontra un veuf de fraîche date qui ne pouvait se résoudre à vivre seul – par crainte de la maladie – et qui l'épousa.

C'est ainsi, en prenant sa place, que ta mère est entrée dans la maison de la rue Miromesnil où la femme du professeur, selon les diagnostics les plus optimistes, n'en avait pas pour plus de cinq ans à vivre.

Normalement, ta mère devrait être aujourd'hui Mme B… La situation était connue du corps médical et des milieux que le professeur fréquentait, comme aussi de sa femme qui, préoccupée uniquement de sa santé, n'était plus qu'à peine de ce monde.

Le médecin travaillant souvent tard dans la nuit, son assistante avait sa chambre dans l'appartement et, bientôt, la plupart des tâches d'une maîtresse de maison lui incombèrent.

Au début de 1938, ta mère avait trente ans et il y avait huit ans que son existence paraissait réglée une fois pour toutes quand, sortant en coup de vent d'une clinique de Passy où il venait de donner une consultation, B... fut renversé par un taxi et tué presque sur le coup.

Je n'ai jamais demandé de détails sur ce qui s'est passé alors. Je sais seulement que, le soir même, ta mère quittait avec ses affaires la rue Miromesnil et qu'elle n'a pas pu y remettre les pieds, ensuite, quand le corps de son patron y a été exposé dans une chapelle ardente.

Mme B..., elle, a survécu six ans à son mari et la fortune du professeur est passée aux neveux de la veuve.

Vers le même temps que je faisais route sous la pluie en direction des Flandres, Alice Chaviron descendait à Cannes, où une place d'infirmière se trouvait libre dans une clinique.

Elle ne m'a pas joué la comédie du chagrin ni du désespoir. Lorsqu'elle m'a raconté cette partie de son histoire, je commençais à me lever et l'on poussait mon fauteuil près de la fenêtre au montant de laquelle elle s'appuyait, vêtue de blanc, les bras croisés, quelques cheveux fous s'échappant du bonnet. Elle parlait d'une voix légère, sans jamais insister, tantôt regardant dans le jardin, où j'entendais le pas des malades crisser sur les cailloux, tantôt se tournant vers moi sans émotion apparente.

— C'est drôle, n'est-ce pas ? a-t-elle conclu un peu avant que la sonnerie l'appelât au 14, où l'on avait amené, la nuit précédente, une nouvelle malade qu'on allait opérer.

Plus tard, beaucoup plus tard, j'ai ressassé ces détails, sans aigreur, sans animosité, et je ne nourris aujourd'hui encore aucune animosité à l'égard de ta mère.

Nous nous sommes trompés tous les deux et ni l'un ni l'autre ne mérite de reproches. Je lui ai tout dit, moi aussi, tout ce que je te dirai par la suite, de sorte qu'elle était avertie.

Nous n'étions plus des jeunes gens. Si même nous croyions encore à l'amour, nous savions qu'il n'existait pas entre nous et il est probable que, quelques mois plus tôt ou quelques mois plus tard, l'idée de nous marier ne nous serait pas venue.

Il se faisait que nous étions vacants, disponibles. Nous étions persuadés l'un comme l'autre que la catastrophe s'annonçait, que bientôt, vêtu de mon uniforme, je repartirais vers le Nord, pour de bon cette fois, et que tout ce qui paraissait encore avoir de l'importance n'en aurait plus demain.

C'était la première fois que j'avais une camarade et le fait qu'elle m'avait donné les soins les plus intimes ne me gênait plus mais, au contraire, me mettait à l'aise avec elle. Je n'avais pas besoin d'avoir honte. Je n'avais pas non plus à jouer un rôle.

Tout s'est passé avec une vitesse vertigineuse, puisqu'en réalité mon séjour à la clinique, qui me paraît si plein d'événements, n'a duré qu'un peu plus de trois semaines.

C'est pourtant un des endroits qui me sont restés familiers, comme ceux où on a longtemps vécu. J'en reconnaîtrais les bruits, la qualité de l'air qui me venait par la fenêtre ouverte et, par bouffées, lorsque la brise soufflait d'un certain côté, une odeur de vinasse qui se mêlait étrangement au parfum des eucalyptus.

Je suppose qu'il y avait un négociant en vins, quelque part dans les étroites rues en pente entourant la clinique, car j'entendais à longueur de journée rouler des barriques, tantôt pleines et tantôt vides, et il y avait un bruit de bouteilles presque continu.

Je m'étais promis d'aller voir, en sortant, l'endroit d'où provenaient ces sons et cette odeur, puis j'ai oublié de le faire, de même que je n'ai jamais vu l'école des filles, plus haut sur la colline, d'où, deux fois par jour, me parvenait le vacarme aigu des récréations.

Un vieillard qui s'aidait d'une béquille, vêtu du pyjama et de la robe de chambre à raies bleu passé de la clinique, s'arrêtait devant ma porte chaque fois qu'il parcourait le couloir et, si elle n'était qu'entrouverte, la poussait tout à fait, restait là, dans l'encadrement, à me regarder gravement, puis s'en allait en hochant la tête.

Contrairement à ce que j'avais pensé d'abord, il n'était pas fou, ni tout à fait gâteux. C'était un ancien ténor d'opérette, qui était depuis huit mois pensionnaire de l'établissement, où il avait subi plusieurs opérations successives. Le matin de mon départ, seulement, il m'a adressé la parole, d'une voix neutre, sans timbre, pour me dire, avant de hocher la tête et de s'éloigner :

— Bonne chance, jeune homme !

Ta mère habitait à deux pas, place du Commandant-Maria, où elle avait loué un appartement meublé : chambre, cuisine, petit salon et salle de bains, au rez-de-chaussée d'une maison d'angle, en face de laquelle on voyait une pharmacie.

J'avais mis mes parents au courant de ma rechute, en la minimisant. J'en avais écrit aussi à la compagnie, qui m'avait octroyé un congé supplémentaire en me recommandant la prudence. J'ai retrouvé ma chambre du Suquet, le jardin plein de fleurs où, aux approches de Pâques, on dressait maintenant les tables pour le déjeuner, car la clientèle commençait à affluer.

Après un mois, je n'avais pas embrassé ta mère et l'idée ne m'en était pas venue. Quand elle était libre, nous allions ensemble au cinéma, ce que je n'avais pas fait avec une femme depuis l'âge de dix-neuf ans. Nous avons visité les îles Lérins ensemble, cheminant côte à côte le long des vieux murs de la forteresse, puis dans les pinèdes, pour finir assis sur un rocher à regarder la mer.

L'idée était déjà en moi, mais je ne la prenais pas au sérieux, me contentant de me dire :

— Pourquoi pas ?

Cela m'amusait. Je suis persuadé, à présent, qu'elle y pensait à peu près de la même façon. Pas tout à fait, peut-être. Je ne prétends pas que, chez elle, il y eût un calcul, ni qu'elle fût intéressée. C'est plus subtil. Nous ne nous aimions certes pas, mais nous nous plaisions l'un avec l'autre ; nous étions en train de vivre des journées qui, malgré son travail, n'en étaient pas moins comme des journées de vacances.

Son père, fils d'un caviste de Fécamp, était devenu professeur et avait rêvé de faire de son fils – l'homme de Madagascar – un médecin ou un avocat.

Ses sœurs aussi avaient cherché instinctivement à continuer l'ascension, d'une façon ou d'une autre, et la sœur Jeanne paraissait avoir réussi, car son papier à lettres, gravé, portait le nom d'une propriété du Devonshire.

Ta mère avait failli être l'épouse légitime d'un médecin fameux et le hasard seul venait, comme au jeu de l'oie, de la faire rétrograder d'un bon nombre de cases.

Sans être riche, j'avais ce qu'on appelle une situation brillante et, depuis que j'avais accédé à l'actuariat, je ne pouvais que l'améliorer.

Encore une fois, et je le souligne, en mars et en avril 1939, elle n'y a certainement pas pensé.

Nous jouions tous les deux une sorte de jeu auquel nous ne croyions pas, jusqu'au jour où, tout à coup, à table, dans le jardin du Suquet, alors que nous mangions de la bouillabaisse près d'un couple de Hollandais, j'ai dit sans même réfléchir :

— Pourquoi ne nous marierions-nous pas ?

Il y a eu comme un choc, à peine perceptible, le tressaillement à fleur de peau qui nous vient au contact d'un léger courant électrique, puis elle a éclaté de rire.

— C'est cela ! a-t-elle lancé. Et nous aurons beaucoup d'enfants !

Nous avons continué sur ce ton pendant le reste du repas, puis jusqu'à la porte de la clinique. Ce jour-là, elle prenait son service à deux heures pour le terminer à dix. Je suis retourné dans ma chambre et j'ai passé l'après-midi plongé dans l'ouvrage d'un disciple allemand de Painlevé, puis j'ai dîné à ma table de la pension.

À dix heures, j'étais dehors. À dix heures et quart, au moment où elle atteignait la place du Commandant-Maria et tirait déjà la clef de son sac, je suis sorti de l'ombre.

— C'est vous! a-t-elle prononcé sans étonnement.

— L'envie m'est venue de vous parler sérieusement et je vous demande la permission d'entrer un moment.

Elle n'a pas hésité, n'a joué aucune comédie et a poussé la clef dans la serrure.

— Un instant! m'a-t-elle lancé comme j'allais franchir le seuil. Laissez-moi m'assurer que rien ne traîne.

Elle allumait dans les pièces, je l'entendais jeter des vêtements ou du linge dans une armoire.

— Vous pouvez venir.

Le logement était banal et j'eus l'impression qu'il devait être loué d'habitude à des filles d'un autre genre. Dans le salon, près d'une table et d'un buffet Henri II, un divan fatigué, recouvert de reps vert, me gênait et m'obligeait sans cesse à détourner le regard.

Elle comprit tout de suite et m'expliqua :

— Une danseuse de cabaret occupait l'appartement avant moi. Les murs étaient tapissés de couvertures de magazines maintenues par des punaises. Vous avez soif?

— Non.

— Moi non plus. Tant mieux, car je n'ai que du vin blanc et il doit être tiède.

Savait-elle ce que j'étais venu faire? C'est probable.

— À déjeuner, nous avons parlé de mariage, dis-je, faute de trouver un moyen moins direct d'amorcer l'entretien. J'y ai beaucoup pensé cet après-midi.

C'était vrai, encore que j'eusse été tout le temps occupé par l'ouvrage assez ardu que je lisais.

— Je suis simplement venu vous dire que ce n'était pas une plaisanterie. Je ne vois pas pourquoi nous ne nous marierions pas et ne serions pas aussi heureux que d'autres.

Elle se moqua encore :

— Pourquoi pas, en effet ?

— Réfléchissez. Nous nous connaissons mieux que la plupart des fiancés ne se connaissent après un an de fréquentation. Je ne vous apporte pas un amour romantique et je ne vous en demande pas.

Je la sentais tendue et, justement parce qu'elle était tendue, elle railla jusqu'au bout :

— Un mariage de raison, quoi !

— Non. Tout bonnement deux êtres qui s'estiment, qui se sentent bien ensemble et qui s'aideront mutuellement à faire ce qu'il leur reste de chemin.

C'est à ce moment-là qu'elle s'est décidée à se montrer sérieuse.

— Vous êtes gentil, Alain, de me proposer ça, et je vous en suis reconnaissante. Vous auriez aussi bien pu me demander de devenir votre maîtresse et j'aurais sans doute accepté, même sachant que cela ne devrait durer que le temps de votre séjour à Cannes.

— Cela ne m'intéresse pas.

Il paraît – elle m'en a reparlé plus tard – que la gravité avec laquelle j'ai prononcé ces mots-là l'a fait éclater de rire, surtout que, sans que je m'en rende compte, mon regard, au même instant, se détournait du divan comme avec horreur.

Cela pouvait être interprété, en effet, d'une façon assez cocasse. Le fait est que je ne l'ai pas touchée ce soir-là, ni les suivants, ni durant les trois semaines que j'ai encore passées sur la Côte.

Lorsqu'elle m'a accompagné au train, je n'avais pas de réponse définitive.

— On verra bien si cela supporte un mois d'absence.

Pendant ce mois, je ne lui ai pas écrit une seule vraie lettre, mais, chaque jour, je lui envoyais le même billet laconique :

« Cinquième jour : cela tient. »

« Sixième jour : cela tient. »

Et ainsi jusqu'au vingt-neuvième jour, car le trentième, un samedi, j'allais l'accueillir à la gare de Lyon et je la conduisais dans l'hôtel du quai des Grands-Augustins où j'avais retenu une chambre pour elle à l'étage au-dessous du mien.

Le lendemain, nous allions au Vésinet, après que je l'eus prévenue que ma mère ne lui adresserait probablement pas la parole, mais qu'elle n'avait pas à s'en formaliser.

Mon père s'est montré charmant, très homme du monde, avec une pointe de galanterie qu'il a toujours su doser délicatement.

Le temps de publier les bans et nous nous mariions à la mairie du VIIe arrondissement, sans avoir trouvé d'appartement, et la déclaration de guerre nous a surpris dans le même hôtel, où nous avions maintenant deux pièces communicantes : la chambre à coucher et une seconde chambre qui, le lit enlevé, était devenue notre salon.

Je repartais pour la guerre avec, cette fois, quelqu'un pour agiter un mouchoir sur le quai.

4

On a appelé ça la drôle de guerre. Je me retrouvais à Hondschoote avec les mêmes hommes, les mêmes estaminets à l'odeur de bière et de genièvre, et nous pouvions reconnaître, de l'autre côté de la frontière, le douanier roussâtre qui nous avait triomphalement annoncé la paix, un an plus tôt. La Belgique n'était pas encore en guerre, nous n'avions pas le droit de franchir la barrière noire, jaune et rouge à laquelle les soldats s'accoudaient pour courtiser les filles.

Les semaines s'écoulaient dans une morne attente et, de part et d'autre de la ligne Maginot, les troupes ennemies campaient face à face, échangeant rodomontades et plaisanteries à l'aide de haut-parleurs.

C'est à ma seconde permission, seulement, qu'en trouvant ta mère qui m'attendait à la gare du Nord, j'ai compris, avant de descendre de wagon, qu'elle était enceinte.

J'ignore ce qu'a exprimé mon visage. Elle portait un manteau que je lui connaissais, un manteau brun, dont elle ne pouvait déjà plus fermer tous les boutons.

Nous nous sommes embrassés, sans un mot, puis, après un court silence, elle m'a demandé, inquiète, au milieu de la bousculade :

— Fâché?

J'ai serré sa main froide et j'ai fait non de la tête. Je peux t'avouer, aujourd'hui, que je ne savais que lui répondre. J'étais dérouté, ému probablement, mais sans doute pas tout à fait comme j'aurais dû l'être. C'était la surprise qui l'emportait. Je l'avais épousée, certes, et je devais m'attendre à ce qui arrivait. Si étrange que cela puisse te paraître, je n'y avais pas pensé et je me demande si elle n'en avait pas été aussi étonnée que moi.

Étrangement aussi, l'idée qui m'est tout de suite venue à l'esprit a été :

« Je vais donc avoir un fils. »

Pourquoi un fils et pas une fille? Je n'en sais rien. Nous avons passé mes trois jours de permission quai des Grands-Augustins, sauf les quelques heures consacrées à la rue Laffitte où, dans les bureaux, la vie continuait.

Je n'ai rien écrit, hier ni avant-hier, bien que je me sois enfermé de longues heures dans mon capharnaüm, parce que je pensais à cet épisode et quelque chose me tracassait. J'aurais voulu, avant de t'en parler, mettre mes pensées au net, mais je n'y suis pas arrivé. J'ai relu les dernières pages, celles qui ont trait aux semaines de Cannes, et je ne suis pas trop fier de moi.

J'ai l'air, n'est-ce pas, de m'acharner sur ta mère et de me donner le beau rôle? C'est vrai, je te l'avoue tout de suite. Je l'ai compris en me remémorant la scène du quai de la gare et mes réactions pendant les jours et les semaines qui ont suivi.

Sais-tu quelle a été la principale de ces réactions ? J'ai pensé :

« Ainsi donc, désormais, je vais, à mon tour, avoir un témoin. »

Ou, plus exactement, un juge. Car, enfant, puis jeune homme, j'ai regardé vivre mes parents avec les yeux d'un juge, et j'en ai conclu, à tort ou à raison, qu'il en est ainsi pour chacun. C'est pourquoi je t'ai toujours observé avec une certaine anxiété et c'est aussi pourquoi j'ai entrepris ce récit décousu.

Des phrases lues ou entendues me sont revenues à l'esprit, en particulier :

« *Nous revivons dans nos enfants.* »

Quelque part aussi, j'ai lu qu'après notre mort, nous jouissons d'une survie d'environ cent ans, le temps, à peu près, pour ceux qui nous ont connus, puis pour ceux qui ont entendu sur nous un témoignage direct, de disparaître à leur tour.

Après, c'est l'oubli, ou la légende.

As-tu appris, au lycée, comme je l'ai fait en mon temps, certains vers de Béranger qui chantent encore dans ma mémoire ?

> *Il s'est assis là, grand-mère ?*
> *Il s'est assis là.*

Il s'agit de Napoléon, que la grand-mère a vu, de ses yeux, alors qu'elle était enfant. Pour l'autre enfant qui l'écoute, l'empereur reste presque vivant, presque palpable. C'est la troisième génération.

Après, il ne sera plus qu'un tombeau sous le dôme des Invalides et une légende colorée.

Cent ans ! Trois générations ! Regarde autour de toi, interroge tes amis. Tu te rendras compte que, à de rares exceptions près, ces trois générations-là sont la limite de la survie.

Et cette survie dépend du premier témoignage, *dépend du fils*.

J'allais en avoir un, qui me regarderait vivre et qui transmettrait à ses enfants l'image ainsi imprimée dans son esprit.

Ta mère était un témoin aussi, certes, et peut-être un juge. Mais, de mon côté, j'étais, je reste son juge. Nous sommes à égalité. Si elle connaît mes faiblesses, je connais les siennes et, en outre, elle a découvert mon corps nu et affaibli sur un lit d'hôpital.

Je me demande maintenant – mais c'est une question à laquelle je ne veux pas de réponse – si, sans cela, je l'aurais épousée. Tu vois qu'il vaut mieux attendre, pour te faire lire ces pages, que tu sois un homme mûr, pour autant que la maturité existe dans l'espèce humaine.

Bien entendu, depuis seize ans que nous vivons ensemble, toi et moi, je n'ai pas toujours été conscient de cette sorte de parade que je jouais pour toi, pour l'image qui subsisterait un jour de moi. Il n'en est pas moins vrai que, jamais plus, je n'ai eu l'impression que mes faits et gestes étaient sans importance.

Tu es né quai des Grands-Augustins, où la femme de chambre de l'hôtel, à deux heures du matin, a eu toutes les peines du monde à ramener une sage-femme, car la drôle de guerre était finie, la vraie guerre avait éclaté, nous nous battions, non pas à Hondschoote, mais déjà fort en arrière des lignes, et Paris, pris de panique, commençait à se vider.

En tant que soldat, je n'ai été ni un héros ni un lâche. J'ai fait mon métier de mon mieux ; le moment n'en est pas moins venu où je ne précédais plus mes hommes vers le combat, mais où je les suivais, désarmés pour la plupart, au sud de la Seine, puis de la Loire.

Civils et militaires avaient fini par se joindre en une colonne désordonnée que survolaient parfois des avions ennemis qui, par jeu, descendaient presque jusqu'au ras des têtes et tiraient quelques rafales de mitrailleuse.

Je savais que c'était approximativement la date à laquelle on attendait ta naissance, mais je ne l'ai connue que deux mois plus tard, quand, dans un complet civil acheté à Angoulême, j'ai pu rentrer à Paris.

Ta vie était déjà organisée dans nos deux chambres d'hôtel : berceau, layette, bain pliant en caoutchouc, biberons, lait condensé, et ta mère portait une de ses blouses d'infirmière.

Je n'étais pas mort au front, je n'avais été ni blessé, ni fait prisonnier. Il ne me restait, après cette sorte d'entracte, tragique pour beaucoup, qu'à retourner à mon bureau et à reprendre l'existence quotidienne.

Il y avait des vides, rue Laffitte, en particulier parmi le personnel de direction qui comptait un certain nombre d'Israélites. Ceux-là avaient quitté Paris avant l'entrée des troupes de Hitler dans la ville et s'étaient réfugiés en zone libre ; quelques-uns avaient déjà atteint l'Angleterre ou l'Amérique.

Tel un pion qu'on pousse, j'ai avancé ainsi de deux cases et nous avons hérité provisoirement, avenue du Parc-Montsouris, de l'appartement d'un de mes chefs. Il s'appelait Lévy. Il attendait, au Portugal, son tour d'embarquement pour New York et préférait voir les locaux occupés par nous que par les Allemands.

Nous y avons passé toute la guerre, puis une année encore après celle-ci, car Lévy n'est revenu qu'en 1946. Cela a été, en fait, ta première maison, de sorte que tu as d'abord connu une atmosphère qui n'était pas la nôtre, mais celle de gens qui nous étaient étrangers.

Je me souviens que, quand tu as eu deux ans et que tu as commencé à découvrir le monde autour de toi, j'en ai été contrarié.

À quoi serviraient ces pages, si je n'étais tout à fait sincère ? Tu as entendu parler des restrictions. Ta mère s'est épuisée à une chasse sans fin à la nourriture. Nous avons manqué de chauffage, parfois de lumière. Des hommes étaient torturés ou fusillés. On arrachait des pères à leur famille et on tuait des enfants.

J'en souffrais, certes, mais peut-être moins – tant pis si tu me juges sévèrement – que de te voir grandir dans un cadre étranger. Rien n'était à nous ni à notre image, et les portraits, aux murs, étaient ceux d'une famille inconnue. Il y avait des oncles et des tantes, des grands-pères qui n'avaient rien de commun avec nous et que je prenais en grippe.

L'appartement était vaste, plus luxueux que celui que j'aurais pu m'offrir en ce temps-là si les conditions avaient été normales. Trois grandes chambres à coucher étaient richement, lourdement meublées, avec partout des tapis persans et, dans la salle à manger, on pouvait donner des dîners de vingt couverts.

— Attention à ce fauteuil, Jean-Paul ! Il n'est pas à nous.

Rien n'était à nous, sinon tes quelques meubles d'enfant, et nous tenions, la guerre finie, à rendre l'appartement dans l'état où nous l'avions trouvé. Je n'ai même pas touché aux papiers qui se trouvaient dans les tiroirs du bureau !

Nous avions une bonne, Fernande, dont tu dois te souvenir et qui nous a quittés depuis, pour se marier avec un électricien. Elle a passé presque tous ses après-midi sur un banc du parc, à te surveiller, car ta mère n'a jamais été aussi occupée.

Seras-tu choqué si je t'affirme que ce sont, pour elle, les meilleures années de notre vie commune ?

Au bureau, nous sentions à peine la guerre, car le travail s'y poursuivait comme par le passé, à la différence que nous avions à faire face à des problèmes nouveaux et que les effectifs étaient réduits d'un bon tiers.

Tu serais surpris si tu envisageais la guerre et l'occupation du point de vue d'un actuaire, c'est-à-dire réduites à des formules et à des chiffres, ce qui était mon cas. Morts violentes, décès à la suite de privations ou de manque de chauffage, déportations, incendies provoqués par des causes inhabituelles, accidents ignorés de nos anciennes polices, tout cela, dans mon bureau, se figeait en équations.

Ta mère, elle, vivait une autre guerre, la vraie, et avant tout celle d'une mère de famille à qui incombe le soin de nourrir les siens, ce qui lui valait d'éreintantes randonnées dans les campagnes et des tractations humiliantes.

Elle a vécu une autre guerre aussi, pendant plusieurs semaines, à mon insu. Un soir, alors que je rentrais du bureau et que je t'embrassais, elle m'a regardé avec insistance, comme pour me transmettre un message, et, furtivement, afin que tu ne surprennes pas son geste, elle a mis un doigt sur ses lèvres.

Quelques minutes plus tard, au fond du salon où elle m'avait entraîné, et dont nous ne nous servions pas, faute de chauffage, elle a murmuré :

— N'entre pas dans la chambre verte.

C'était une chambre inoccupée où je n'avais aucune raison de mettre les pieds. Je la regardai, surpris, attendant une explication.

— Il y a quelqu'un. Mieux vaut que Jean-Paul ne s'en doute pas.

J'ai questionné naïvement :

— Qui est-ce ?

— Un homme qui a besoin de rester caché pendant quelques jours.

Nous avons eu ainsi un certain nombre de « locataires », qui passaient chez nous une nuit ou une semaine, et ce n'est que par hasard que j'en ai entrevu un qui a refermé vivement sa porte.

— Il est préférable que tu ne saches pas, en sorte que tu puisses nier en toute conscience.

— Et Fernande ?

— Elle ne dira rien. Je la paie en conséquence et c'est tout ce qui l'intéresse.

Ta mère a entrepris plusieurs voyages dont elle ne me parlait qu'à demi-mot et je me souviens qu'à trois ans, cela t'irritait :

— Pourquoi ai-je une maman qui s'en va si souvent ?

Elle ne se méfiait pas de moi, j'en suis persuadé. Je crois aussi qu'elle préférait, en effet, que j'en sache le moins possible afin de réduire les risques, car l'ère des tortures avait commencé et on ne passait plus par la rue des Saussaies sans avoir la gorge serrée.

Il n'en reste pas moins que, pendant ces années-là, elle a trouvé un champ d'activité à sa mesure, *en dehors de moi*, et c'est pourquoi je t'ai dit que ce sont probablement les meilleures années de sa vie.

Chacun de nous a besoin d'être conscient de son importance, c'est vrai pour le plus humble des hommes comme pour la plus humble des femmes. N'est-ce pas, en partie, une des causes du malaise de notre époque, que chacun ne puisse garder d'illusion sur sa propre valeur ? Un artisan est fier de son habileté professionnelle, une mère de famille de la campagne est persuadée qu'elle fait la meilleure soupe du village, alors que l'ouvrier d'usine ou l'employée de bureau, interchangeables, ne trouvent qu'ailleurs – et ne trouvent pas toujours – une raison d'être satisfaits d'eux-mêmes.

Ceci explique que ton grand-père, dans la seconde partie de sa vie, se mit à jouer au bridge chaque soir, et je jurerais que chacun de ses trois partenaires se croyait, comme lui, le meilleur joueur de l'équipe.

Ce sont là des banalités, je m'en rends compte. Cela sent le cours du soir, mais cela n'en explique pas moins ta mère, tout au moins à mes yeux.

Elle a risqué la déportation, les tortures, la mort. Grâce à elle, un certain nombre d'hommes qui avaient une tâche à accomplir ont pu l'accomplir.

On l'a décorée solennellement, en 1945, et c'est très bien.

Mais nous y avons perdu, moi une femme, toi une mère.

Pardonne ces mots-là. C'est faux. La guerre n'a rien changé, ni pour elle, ni pour nous. Tout au plus a-t-elle avancé de deux ou trois ans l'explosion de sa vie personnelle. Elle a un besoin d'activité auquel nous ne suffisons pas. La vie d'une famille comme la nôtre, dans un appartement, lui pèse, lui est aussi insupportable que, pour certains, atteints de claustrophobie, de se plonger dans l'obscurité d'une cave ou d'un tunnel.

Je me sens mal à l'aise au contact de mes semblables et je me rétracte ; jeune homme, je devais faire un effort pour ne pas rougir et pour ne pas bégayer. Pour ta mère, au contraire, ce contact-là est aussi nécessaire que l'air, fût-ce, dans la rue et les endroits publics, le contact de la foule anonyme. En outre, son organisme exige l'action, l'action personnelle, dont nous ne lui donnons pas l'occasion.

Quand, à quelle date précise, sommes-nous devenus des étrangers l'un pour l'autre, elle et moi ? Je dis des étrangers et non des ennemis car, hormis quelques incidents inévitables, nous sommes restés de bons camarades.

En réalité, il n'y a pas de date. Nous n'avons jamais formé un couple. Nous nous sommes trompés en pensant qu'une sorte d'amitié constituait une base suffisante à la vie en commun et, cette erreur-là, c'est à Cannes, dans une atmosphère inconsistante de vacances, que nous l'avons commise.

Je ne lui en veux pas et je ne crois pas qu'elle m'en veuille. Peut-être, même si tu n'étais pas né, aurions-nous continué à vivre ensemble, mais c'est moins sûr.

Combien d'amis, en effet, chacun d'entre nous garde-t-il pendant un certain nombre d'années ? Pour la plupart, il y a successivement les amis du lycée, puis les amis de l'université, ceux des débuts, du bureau, du Palais ou de tel cercle bien déterminé, les amis de l'âge mûr et ceux de la vieillesse. On fait route commune un certain temps et, à chaque croisée des chemins, on perd des compagnons qui prennent une autre direction pour en retrouver d'autres venus d'ailleurs.

J'en connais peu, parmi mes relations, qui aient conservé les mêmes amitiés pendant vingt ans, pendant trente, car je ne parle pas de gens qui se rencontrent par hasard une fois tous les deux ans et qui se tapent sur l'épaule en se tutoyant.

Celui dont les goûts correspondaient aux miens il y a dix ans a évolué et j'ai évolué de mon côté, de sorte que les deux hommes que nous sommes aujourd'hui n'ont plus rien de commun.

Or, on ne voit un ami qu'à des moments choisis, dans une humeur déterminée. Nul n'aime être surpris à certaines heures de faiblesse ou de lâcheté.

Peut-il en être autrement avec quelqu'un de l'autre sexe ? Je l'ai cru et continue à le croire, bien qu'à cause du drame de 1928 il ne m'ait pas été donné d'en faire l'expérience. Cela demande, cela exige l'amour, c'est-à-dire qu'à partir d'un certain moment chacun renonce à être complètement soi-même pour faire partie d'un nouveau tout.

Je te reparlerai de mon père et de ma mère qui, j'en suis presque sûr, se sont réellement aimés, au point que mon père n'a pas voulu survivre à sa femme. C'est encore trop tôt. Je veux en finir avec ma génération, avec ta mère et moi, d'autant plus que, maintenant que j'ai commencé, sans prévoir que cela me mènerait si loin, c'est mon devoir d'aller jusqu'au bout.

Suis-je un faible ? Ta mère me considère-t-elle comme tel parce que je me replie sur moi-même ? C'est possible. S'il en est ainsi, je n'ai jamais rencontré de forts. Car ce qu'elle prend pour son énergie n'est qu'une façon différente d'échapper à la réalité.

Ma mère s'est réfugiée dans une sorte de vide, de rêve éveillé et monotone qui a duré quarante ans, mon père dans l'accomplissement, dans l'acceptation de ce qu'il a considéré comme son devoir.

Mon capharnaüm est mon refuge et, par ce mot-là, je n'entends pas seulement le bureau où tu me vois m'enfermer.

Ta mère, elle, se réfugie dans une activité sans fin et, si je dis sans fin, c'est qu'elle n'a pas de but ou, pour

110

être plus précis, qu'une fois le but atteint, ta mère s'en fixe aussitôt un autre.

Elle doit passer auprès de nos amis pour ambitieuse et elle l'est, dans un certain sens. Il n'y a plus d'aviateurs anglais ou de résistants à cacher, de messages à transmettre. Elle ne s'est pas découvert, comme ma sœur, le goût d'écrire.

Posséder un appartement comme celui de l'avenue Mac-Mahon et le meubler selon ses goûts a été sa première ambition, bientôt suivie de celle d'y recevoir des gens d'un certain milieu, car elle n'a pas oublié la caserne de Nice où elle a passé son enfance, ni les humbles origines de ses parents.

Elle continue sa marche ascendante et tu la décevras si, à ton tour, tu ne gravis pas quelques échelons.

Le manteau de vison n'est qu'un totem, comme l'avait été auparavant le manteau de castor, notre voiture et le premier diamant.

Peut-être, si nous nous étions aimés au lieu de nous unir par gageure, parce que nous étions tous les deux disponibles, se serait-elle contentée d'être ma femme et d'être ta mère ?

Nous ne pouvons lui en vouloir, ni l'un ni l'autre, de chercher ailleurs ce que nous ne lui apportons pas.

Pardonne-moi, fils. J'avais besoin de le dire. J'espère que je ne t'ai pas fait mal.

Le soir, avant d'écrire, j'ai relu mes dernières pages et, mal à l'aise, me sentant mauvaise conscience, j'ai failli tout déchirer. J'ai cependant trouvé le moyen de faire la paix avec moi-même en me persuadant – ce qui est vrai en partie – que c'est pour moi plus que pour toi que j'écris et que, mon récit terminé, je le regarderai brûler dans la cheminée.

Le ferai-je ou ne le ferai-je pas ? L'avenir le dira.

Ta mère, pendant que je suis penché sur ces feuillets, est au théâtre, dans la loge d'un ambassadeur dont le fils, qui a vingt-cinq ans et qui est un garçon brillant, lui sert à l'occasion de chevalier servant. Je ne suis pas jaloux mais, la preuve que j'ai néanmoins une arrière-pensée, c'est que j'en parle ici.

Ta mère, à quarante-huit ans, fait beaucoup plus jeune que son âge, grâce à sa vivacité, à son regard pétillant que les jeunes filles lui envient. Loin de s'abîmer comme celui de tant de femmes, son corps est devenu plus moelleux, plus désirable aussi, je suppose, surtout qu'elle l'habille bien, et elle a ce charme qu'acquièrent, à un certain âge, les Parisiennes qui ont beaucoup vu, beaucoup entendu, beaucoup appris, mais qui, au lieu de perdre le goût de vivre, jettent tous leurs feux.

C'est le cas de la mère de ton ami Zapos, aussi, qui a largement passé la quarantaine, et qui n'en incarne pas moins l'idéal de dizaines de milliers d'hommes.

Son activité trépidante, qui ressemble à une fuite, a-t-elle toujours suffi et suffira-t-elle toujours à ta mère ? Ce serait ma faute, à moi et à moi seul, si cela arrivait, je te le dis sans ambages, sans, je suppose, que j'aie besoin de préciser.

Nous approchons de Noël et c'est, dans la ville, comme une fièvre qui monte, s'empare peu à peu de

ceux-là mêmes qui y sont le plus étrangers. De gigan-
tesques motifs lumineux se font et se défont sur la
façade des grands magasins et, partout, les vitrines sont
plus brillantes, les étalages plus alléchants, on dirait
que la foule marche avec plus d'allégresse. Au bureau,
je n'entends parler que de cadeaux et de réveillons et,
sur le plan professionnel, j'ai déjà établi les chiffres
probables d'accidents, de crimes et de suicides.

Encore que nous ne pratiquions aucune religion,
nous fêterons Noël comme les autres et il y aura chez
nous un sapin, un modeste sapin pour grandes personnes, maintenant que tu as passé l'âge des sapins
éblouissants et des trains électriques.

Tu m'as demandé un vélomoteur. Tu l'auras. Je suis
allé l'acheter cet après-midi, en sortant du bureau, et
on nous le livrera le vingt-quatre décembre.

Ta mère recevra les boucles d'oreilles en diamants
assorties à son collier.

En 1928, c'était presque Noël aussi à La Rochelle,
mais il n'y a pas eu de Noël, cette année-là, chez les
Lefrançois d'alors.

J'ai reçu aujourd'hui un de mes cadeaux, celui de la
compagnie, et non pas, cette fois, une enveloppe avec
un bonus ou la traditionnelle boîte de cigares. J'ai dû,
à mon corps défendant, commettre un faux, presque un
abus de confiance, ce qui me gâte mon plaisir.

Sans cela, aurais-je eu du plaisir ? C'est possible. Il
était environ trois heures quand on m'a annoncé que le
directeur général m'attendait dans son bureau. C'est,
chez nous, un homme important, redouté, qui décide
du sort de milliers d'employés et d'inspecteurs. Il a

toujours sous la main, dans un tiroir, des comprimés de trinitrine ; il en a dans la poche de son complet, de son pardessus, car il s'attend d'une minute à l'autre à une thrombose.

Dans les grands restaurants, où il est obligé de déjeuner presque chaque jour, dans les dîners officiels et les banquets, les maîtres d'hôtel ont des ordres pour lui servir une nourriture maigre qu'il grignote d'un air morose.

Et je ne suis probablement pas le seul, à force de l'observer, à avoir deviné pourquoi il porte une moustache en brosse, d'un gris tirant de plus en plus sur le blanc : c'est afin de raccourcir la distance entre le nez et la lèvre supérieure et de cacher ainsi la mollesse de ses traits. Sans sa moustache, il aurait l'air bon enfant, peut-être craintif ?

— Asseyez-vous, monsieur Lefrançois.

On voit, dans son bureau, les portraits à l'huile des précédents directeurs généraux et, un jour, quand il ne sera plus là, on y verra le sien aussi. Il a les mains si pâles, avec quelques taches de son sur la peau, que cela me gêne de les regarder.

— Je ne pense pas me tromper, commença-t-il avec un coup d'œil insistant à ma boutonnière, en croyant que vous n'avez pas encore la Légion d'honneur ?

J'ai fait signe que non.

— Eh bien ! si vous le permettez, cette omission regrettable va être réparée et nous arriverons peut-être à temps pour la promotion de fin d'année. Ce sera mon cadeau de Noël. J'ai déjeuné tout à l'heure avec le ministre des Finances à qui, par miracle, il reste quelques croix, et qui m'a demandé si je connaissais une personnalité qui en soit digne. C'est un de mes camarades d'université et nous sommes un peu parents par les femmes. Vous n'aurez pas à passer par la procédure habituelle et je vais seulement vous demander de remplir ce formulaire.

Une feuille imprimée, avec des blancs pour les réponses, était prête sur le coin de son bureau.

— Faites-moi descendre ce papier tout à l'heure et recevez mes félicitations.

Il porte, lui, les insignes de grand officier. Y croit-il ? N'y croit-il pas ? Le ministre de la Justice y croit-il ? Depuis que je suis assez haut placé dans la hiérarchie, il m'est arrivé d'assister – en bout de table – à des déjeuners comme celui qu'il vient de faire. J'imagine le ministre lançant tout à coup :

— Dis donc, Henri, figure-toi qu'il me reste quelques croix, si extraordinaire que cela paraisse. À force de les économiser, cette année, nous en avons de trop. Cela peut-il te rendre service ?

Notre directeur général a dû faire, en pensée, le tour du haut personnel.

— Il y aurait notre actuaire, que cela flatterait sûrement.

S'il a prononcé mon nom, le ministre a-t-il froncé les sourcils ? A-t-il demandé :

— Il est parent avec Philippe Lefrançois ?

Car ils sont assez âgés, tous les deux, pour être au courant de nos histoires de jadis. Cela n'empêcherait rien, de toute façon, puisque, officiellement, je suis resté en dehors de l'affaire.

Je n'en ai pas moins été obligé de signer un faux. Depuis qu'un journaliste, il y a une vingtaine d'années, a renvoyé dédaigneusement la Légion d'honneur qu'on lui avait octroyée, le gouvernement prend ses précautions et exige que chaque futur légionnaire remplisse un formulaire qui constitue un acte de candidature.

Non seulement, donc, cet après-midi, j'ai sollicité une décoration à laquelle je ne pensais pas et qu'on m'a offerte, mais j'ai dû certifier sur l'honneur que je n'ai jamais encouru de condamnation.

Légalement, ce n'est pas un mensonge. Pour moi, ce n'en est pas moins une imposture, puisque j'aurais dû être condamné.

J'ai été assez sévère avec d'autres pour l'être avec moi. Cette décoration me fait plaisir, pour les mêmes raisons que les préparatifs de Noël m'excitent, que je regarde avec attendrissement le géranium de Mlle Augustine et que j'ai tenu à donner à mon père des obsèques religieuses, en dépit des objections de ton oncle.

Si je ne crois à rien, j'aime pourtant les fêtes carillonnées, les costumes traditionnels, les plats régionaux, et le passage d'une musique militaire me donne des bouffées de patriotisme. Il m'arrive, le dimanche matin, d'écouter les clochers de Saint-Ferdinand et d'envier notre bonne, Émilie, qui s'endimanche et se parfume pour se rendre à la messe.

Tout ceci pour t'annoncer qu'il y aura, fin de l'année, à la maison, une réception au cours de laquelle quelques douzaines de personnes fêteront ma Légion d'honneur et que tu verras, une fois de plus, Désiré, le maître d'hôtel de Potel et Chabot, envahir le salon avec sa grande table démontable, ses caisses de champagne et de verres et ses corbeilles de petits fours. Quand tu étais plus jeune, tu appelais Désiré ton grand ami, parce qu'il allait de temps en temps te porter des friandises dans ta chambre, voire quelques gouttes de champagne, auquel tu donnais le nom de « soda pour grandes personnes ».

Cette fois, tu seras avec nous, long et gauche, à ne savoir où te mettre et à nous observer tous, moi surtout, de tes yeux dans lesquels on ne peut rien lire.

Vas-tu me trouver ridicule quand j'embrasserai mon parrain – car j'aurai un parrain, comme pour un baptême, vraisemblablement mon directeur général – et que je ferai, d'un ton aussi détaché que possible, mon discours de remerciement ?

Ta mère, qui tient, elle aussi, aux traditions, mais pas de la même manière que moi, ni aux mêmes traditions, t'obligeait, enfant, à nous réciter un compliment de nouvel an, et tu avais alors ton regard noir, comme si nous t'imposions une humiliation.

Ton oncle Vachet, lui, à peine mon aîné, est déjà officier de la Légion d'honneur. Il est vrai qu'il n'a pas attendu qu'on lui offre la croix. On parle de lui comme d'un futur académicien, pas pour tout de suite, mais dans quatre ou cinq ans. Il a organisé son ascension d'une façon systématique, quasi scientifique, ne laissant rien au hasard et sachant d'avance quel chemin il prendrait après chaque étape.

Ce ne sont pas ses romans qui sont célèbres, mais lui, parce qu'il a fait, sans jamais se tromper, ce qu'il fallait pour ça. Une seule fois, il a failli jouer la mauvaise carte, et c'est pourquoi il m'en voudra toujours : c'est quand, simple chef de bureau à la préfecture, il a épousé ma sœur et s'est installé avec notre famille dans l'appartement préfectoral.

Lui aussi est parti d'en bas, puisque son père était agent de police et sa mère couturière. Les Vachet habitaient Fétilly, un faubourg de La Rochelle aux petites maisons pareilles, à la population laborieuse, employés, instituteurs, cheminots, vieilles demoiselles donnant des leçons de piano et de solfège, et je me souviens, par les beaux soirs d'été, des hommes bêchant leur jardinet et des femmes bavardant par-dessus les haies.

Je ne dis aucun mal des petites gens, au contraire. Je crois que je les envie. Je n'en reconnais pas moins la plupart de ceux qui en sortent à leur agressivité. Ils ne montent pas pour monter, mais pour se venger de quelque chose et on dirait qu'ils tournent rageusement le dos à leur enfance.

Je me suis demandé parfois si ta mère n'aurait pas été plus heureuse en épousant un Vachet. Ne se seraient-ils pas épaulés l'un l'autre, dans une même volonté farouche de parvenir ? Se serait-elle contentée de l'aider, d'être sa femelle, et auraient-ils formé un couple de fauves lâchés dans Paris ?

Je n'ai pas d'illusions. On n'est pas la femelle d'un homme comme moi, et j'aurais dû choisir une femme satisfaite de tenir ma maison et de mijoter des petits plats, une femme comme Mme Tremblay, par exemple. Et même cela n'est-il pas une illusion ? Ces ménages-là sont-ils vraiment heureux ?

Ta mère, avec Vachet, aurait-elle, un jour ou l'autre, aspiré à une vie plus personnelle et aurait-elle secoué le joug?

Au fait, ce soir, ils sont à la même générale et, sans doute, à l'entracte, se rencontrent-ils dans les couloirs.

— Alain n'est pas avec toi?

— Tu connais Alain! Pour le faire sortir après dîner…

Nous sommes tous les deux seuls dans l'appartement, où il n'y a de lumière que dans ta chambre et dans mon bureau. Comme moi, tu es assis devant ta table, à étudier, et tout à l'heure je t'ai entendu qui allais chercher une limonade dans le Frigidaire. Au temps que tu es resté dans la cuisine, j'ai déduit que tu as trouvé des restes à ton goût, de la viande froide ou du pâté.

Je me suis demandé si tu ne viendrais pas me rendre une courte visite, car tu n'as pu manquer de voir de la lumière sous ma porte. Il est vrai qu'on t'a tant répété que je travaillais que tu n'oses pas me déranger. C'est probablement moi, tout à l'heure, quand j'en aurai assez, qui irai m'asseoir au bord de ton lit.

Je suis barbouillé, ce soir, et j'écris un peu n'importe quoi, pour retarder le moment, qui approche, de te raconter les événements à cause desquels j'ai commencé ce récit.

Une anecdote me revient et je te la dis, au risque de faire croire que je ne rate aucune occasion de m'en prendre à ta mère. Tu étais alors en cinquième. Jusquelà, à l'école, tu avais presque toujours été premier de classe, rarement second, et, à chaque fin d'année scolaire, nous te faisions un cadeau assez important en guise de récompense.

Est-ce parce que je me souvenais vivement de mon enfance que, cette année-là, dès les premiers mois, j'ai senti chez toi un certain flottement ? Inconsciemment, tu avais besoin d'une détente ; peut-être aussi te venait-il d'autres intérêts que tes études ?

L'été précédent, à Arcachon, tu avais fait la connaissance de garçons qui possédaient une périssoire et tu en avais demandé une pour Noël, à quoi ta mère t'avait répondu, non sans bon sens :

— Nous n'allons pas te faire, à Noël, un cadeau dont tu ne pourras te servir que six mois plus tard. Et où donc la mettrions-nous, ta périssoire ? Travaille bien et ce sera ton cadeau de fin de classe.

Travailler bien, pour ta mère, c'était être premier ou second, puisque aussi bien tu l'y avais habituée. Dès la fin mai, je suis allé avenue de la Grande-Armée voir les périssoires et, afin d'être sûr de ce que tu désirais, je t'y ai emmené un jour avec moi.

— C'est cela qui te plairait ?

Tu m'en as désigné une en duralumin et j'ai noté, sans en rien dire, ton manque d'enthousiasme. Pendant tes deux dernières semaines de lycée, tu t'es montré sombre, presque sournois – c'est l'impression que tu donnes quand tu as quelque chose sur le cœur et il m'est arrivé à moi-même de m'y tromper.

— Je ne serai sûrement pas premier, as-tu annoncé un soir à table. J'ai raté ma version latine.

Ta mère a riposté :

— Je t'ai prévenu que tu ne travaillais pas assez.

Entre-temps, j'avais acheté la périssoire, que j'avais laissée au magasin en leur disant que je leur téléphonerais où et quand la livrer.

À la distribution de prix, à laquelle nous assistions comme chaque année, ta mère et moi, – je suis invariablement un des rares pères présents, – tu n'as été ni premier, ni second, mais sixième.

Je nous revois tous les trois sortir du lycée Carnot en silence et, à ce moment-là, j'aurais bien voulu te serrer furtivement la main pour te donner du courage. Ta mère ne disait rien et n'a ouvert la bouche qu'au moment où nous atteignions l'avenue Mac-Mahon.

— Je suppose, Jean-Paul, t'a-t-elle dit alors, que tu ne comptes pas sur la périssoire ?

Tu t'es contenté de baisser la tête. Quand nous avons été seuls, elle et moi, j'ai pris ta défense.

— Tu feras comme tu voudras, m'a-t-elle répliqué, puisque tu es le père. Pour moi, c'est une question de principe. Cette périssoire devait être la récompense d'un effort déterminé. Il y avait, entre Jean-Paul et nous, une convention précise. L'effort, il ne l'a pas fourni. Non seulement il a raté son latin, mais il a été faible dans toutes les branches. Si tu l'habitues à lui donner quelque chose pour rien, tu lui rends un mauvais service.

Encore une fois, je comprends son point de vue ; je ne lui donne pas tort. Un peu plus tard, pourtant, j'entrai dans ta chambre, où tu feignais de lire un roman, pour te dire à mi-voix :

— Ça y est ! Tu l'auras !

Alors, tu m'as répondu, avec un regard d'homme, et je ne suis pas sûr que tu n'aies pas eu un peu pitié de moi :

— Ne fais pas ça, père.

— Chut ! Elle sera à Arcachon quand nous y arriverons.

— Je ne m'en servirai quand même pas.

Je t'ai compris aussi. Je vous ai compris tous les deux. À Arcachon, en effet, tu es resté quinze jours sans te servir de la périssoire qui attendait dans le jardin de la villa que nous avions louée, comme chaque année.

Tu avais conscience de ne pas l'avoir « payée ».

Si je te raconte ça, vois-tu, c'est que j'ai, moi aussi, ma périssoire. Quelqu'un a fait pour moi, un jour, une chose qui m'oblige à être premier ou second toute ma vie.

C'est pourquoi, de vingt à trente ans, j'ai tant travaillé, sans m'accorder ce qu'on appelle des plaisirs.

Je ne suis pas arrivé premier, parce que je n'en ai pas l'étoffe ; encore faut-il au moins, encore est-il indispensable que je sois second, que je sois un homme « bien », non seulement dans ton esprit, mais dans le mien.

Ce n'est que cela, au fond, que j'essaie de me prouver depuis que j'ai commencé à t'écrire.

5

J'avais à peu près la même taille que toi : j'étais seulement plus large d'épaules, car j'avais trois ans de plus, et voilà, *grosso modo*, ce que je savais de ma famille.

Tout d'abord – et je crois que cela a son importance – je n'avais jamais encore habité une maison ordinaire, ni un appartement comme les autres enfants, mais des bâtiments officiels plus ou moins vastes, plus ou moins solennels ou luxueux.

À ma naissance, mon père, Philippe Lefrançois, qui avait alors vingt-six ans et qui était docteur en droit, venait d'entrer dans la carrière préfectorale et avait été nommé directeur du cabinet du préfet de Gap, dans les Hautes-Alpes. J'avais trois ans lorsqu'il a été pour la première fois sous-préfet, à Millau, dans l'Aveyron, et c'est à Grasse, ensuite, que je suis entré à l'école.

Plus tard, je devais connaître le lycée de Pau, puis le lycée Fénelon, à La Rochelle, où nous sommes restés près de sept ans. Aussi est-ce la seule ville que, pendant mon enfance, j'aie eu réellement le temps de connaître, les autres ne me laissant que le souvenir d'un bref passage.

À peine m'étais-je habitué à de nouveaux locaux, à ma chambre, à mes professeurs, à peine avais-je quelques camarades, que nous déménagions pour retrouver d'autres appartements, d'autres salons de réception, d'autres visages.

C'est à La Rochelle que ma sœur, ta tante Arlette, a épousé Pierre Vachet qui, comme je te l'ai dit, était chef de bureau au service des Travaux Publics et, comme le jeune ménage ne trouvait pas, ou prétendait ne pas trouver de logement, il s'est installé avec nous dans l'appartement immense mis à la disposition du préfet.

J'ai eu sur toi un avantage. La maison de tes grands-parents, au Vésinet, et tes grands-parents eux-mêmes, n'ont pu que te donner une image décourageante de tes origines. Pour moi, si je n'ai pas connu ma grand-mère paternelle, mes deux grands-pères, tout comme ma grand-mère maternelle, étaient pleins de prestige.

Cela t'intéresse-t-il que nous remontions encore plus loin dans le passé ? Le père de mon grand-père, Urbain Lefrançois, qui a vécu de dix-huit cent vingt-trois à dix-huit cent quatre-vingt-dix-neuf, a connu personnellement des hommes comme Victor Hugo, Lamartine, Delacroix, et l'on retrouve dans ses papiers des lettres de George Sand et d'Alexandre Dumas père, car c'était un ami des artistes.

Tu as dû voir, dans ton livre d'histoire, des portraits du duc de Morny, à qui il ressemblait un peu, et tu peux l'imaginer vêtu à la mode du Second Empire. Il était invité à la cour et l'impératrice Eugénie, paraît-il, le trouvait spirituel.

Il vivait de ses rentes, comme tant d'hommes du monde à cette époque-là, de ses rentes et aussi du capital. Par bonheur pour ses enfants, il achetait des toiles à ses amis peintres et ces tableaux, à sa mort, avaient acquis beaucoup plus de valeur que les quelques terres hypothéquées qu'il léguait.

Mon père l'a connu. Urbain Lefrançois l'a fort impressionné par ses manières de grand seigneur et l'on m'a souvent répété qu'il faisait partie du Jockey Club, alors plus exclusif encore qu'aujourd'hui.

Pour moi déjà, qui suis sur toi d'une génération en avance, il est difficile de concevoir cette existence uniquement consacrée aux loisirs.

Il possédait, rue du Bac, dans la cour d'un immeuble plus récent, un petit hôtel particulier du XVIIIe siècle dont mon grand-père a hérité à son tour et où il a passé son existence. Je suis allé te le montrer, t'en souviens-tu ? L'immeuble qui donne sur la rue est banal, avec, à gauche du portail, la boutique d'un antiquaire, et, à droite, une librairie. La porte cochère est peinte en vert sombre et, après être passé, sous la voûte, devant la loge de la concierge, on accède à une cour aux pavés ronds, – elle me fait toujours penser aux « pavés du roi », – au milieu de laquelle se dresse un tilleul.

L'hôtel particulier, au fond, sans doute autrefois une « folie » construite pour la maîtresse de quelque seigneur ou d'un fermier général, est en pierres patinées et les lignes en sont douces, harmonieuses, avec, au rez-de-chaussée, de hautes portes-fenêtres ouvrant sur les salons et sur le bureau de mon grand-père.

J'hésite à te décrire mon grand-père, Armand Lefrançois, car je crains que tu t'en moques. Tu as dû voir d'anciens numéros de la *Vie Parisienne* montrant ce qu'on appelait alors les « vieux beaux », ce que Lavedan appelait les « vieux marcheurs », vieillards encore droits, cheveux blancs, moustache teinte, monocle à l'œil, portant jaquette et guêtres claires.

C'est, sommairement, le portrait de ton arrière-grand-père, y compris les cheveux, devenus rares, ramenés avec art sur le sommet du crâne.

Vieux beau ou vieux marcheur, il l'a été, et j'ai entendu dire que, veuf de bonne heure, il s'était abondamment consolé et avait encore des aventures à soixante-dix ans.

Ce n'était pourtant pas un oisif, comme son père. Il sortait, au contraire, d'une des plus sévères des grandes écoles : l'Inspection des finances, et il a fait ensuite une brillante carrière à la Cour des comptes.

Tout ceci est froid, théorique, je le sais. Je t'ai dit qu'on ne se survit guère que cent ans. Or, il y a moins de vingt ans que mon grand-père est mort, l'année de mon mariage, à l'âge de soixante-dix-sept ans, et je ne parviens pas à tracer son portrait.

Il est vrai qu'il parlait peu et mettait sa coquetterie à ne jamais trahir ses émotions. J'avais dix ou onze ans quand, un jour, en visite rue du Bac, je me suis mis à pleurer en sa présence et, le monocle à l'œil, il m'a regardé en fronçant les sourcils, puis a regardé mon père d'un air de reproche.

La solitude, pendant ses vingt dernières années, lui a-t-elle pesé ? Il vivait, dans son petit hôtel, avec une vieille cuisinière, Léontine, qui a passé sa vie à son service, et un valet de chambre, Émile, fils d'un de ses derniers métayers.

Le peu de fortune que lui avait laissée son père avait fondu et, des tableaux, il ne restait que ceux auxquels le temps n'avait pas donné de valeur. La demeure de la rue du Bac était hypothéquée jusqu'à l'extrême limite.

Il n'en a pas moins fait bonne figure jusqu'à la fin, y compris pendant les trois dernières années passées dans un fauteuil roulant.

A-t-il connu la vérité sur les événements de 1928 ? Je l'ignore, mais je suis persuadé que mon père ne la lui a jamais dite. Je jurerais néanmoins qu'il l'a devinée et m'en a voulu car, ensuite, il s'est montré plus froid avec moi.

Comme mon directeur général, il était grand officier de la Légion d'honneur et il avait en outre un bon nombre de décorations étrangères, car il avait accompli des missions dans diverses capitales.

Ce qui m'a empêché de l'aimer, c'est l'ironie qu'exprimait son visage. Les jeunes se hérissent ou se révoltent devant l'ironie avant de se rendre compte qu'elle n'est souvent qu'une pudeur ou une défense.

Maintenant qu'il est mort depuis dix-sept ans, je regrette de ne pas lui avoir posé certaines questions, persuadé que non seulement il a beaucoup vu et vécu, mais qu'il a beaucoup pensé et qu'il me fournirait peut-être des réponses.

C'est peut-être une illusion. Il n'y a aucune raison de croire qu'une autre génération savait et ne nous a pas livré ses connaissances en héritage.

Entre lui et mon père, il y a toute la différence entre l'harmonieux hôtel de la rue du Bac – qui ne nous appartient plus et qu'on va démolir pour construire des bureaux – et la villa du Vésinet ; la différence, en somme, entre mes souvenirs d'enfance et les tiens. Seule la couleur change.

Je le trouvais froid, inhumain ; j'étais humilié de le voir vêtu comme un dessin de la *Vie Parisienne*, poursuivre les midinettes sur les boulevards.

Mon père, à son tour, a dû te paraître glacé, ou peut-être éteint, dans l'atmosphère vieillotte de la villa Magali où, avec une minutie de maniaque, il soignait sa femme malade.

Parce que l'un et l'autre ne sont qu'en bordure de notre vie, nous avons tendance à nous faire d'eux une image schématique, oubliant que chacun a été de son temps le centre du monde. Nous agissons de même avec ceux qui ne font que passer dans notre vie, nos professeurs, nos collègues, nos amis d'un an ou de dix. N'étant, pour nous, que des accessoires, nous ne les voyons que d'un angle déterminé et nous les jugeons sur quelques traits saillants, sans leur accorder la complexité que nous nous accordons à nous-mêmes.

Urbain Lefrançois, le dilettante qui assistait aux dîners des Tuileries, n'est pour moi qu'une silhouette, et son fils, Armand, mon grand-père, m'apparaît un peu comme les personnages secondaires qu'on voit, sur les tableaux anciens, noyés dans les ombres.

Pour toi, mon père n'est et ne sera jamais qu'un vieillard, puis, enfin, un mort sous le drap noir et argent d'un catafalque.

Pour tes enfants…

Sans doute préférerais-tu mon autre grand-père, le père de ma mère, qui s'appelait Lucien Aillevard et dont il doit arriver que tu entendes parler en classe, car il a joué un rôle important.

Si mon grand-père Lefrançois était un grand commis de la République, mon grand-père Aillevard était, lui, un grand ambassadeur, au temps où la Carrière s'écrivait avec une majuscule.

Sais-tu que ma mère, sauf pendant les vacances, n'a jamais, avant Le Vésinet, habité une maison privée ?

Si j'ai passé ma jeunesse dans les sous-préfectures et les préfectures, la sienne s'est écoulée dans le décor plus somptueux d'ambassades successives. Née à Pékin, elle a appris à lire dans un couvent de Buenos-Aires avant de connaître Stockholm, Rome et Berlin.

Sa mère, déjà, était née dans la Carrière. Elle s'appelait Consuelo Chavez et était fille d'un ministre de Cuba à Londres, où mon grand-père l'avait rencontrée alors qu'il était secrétaire d'ambassade.

Ce monde-là nous est étranger, à moi et, à plus forte raison, à toi, et on prétend qu'il a beaucoup changé depuis cette époque.

J'ai lu les *Mémoires* de Lucien Aillevard, publiés en deux volumes, sous une austère couverture grise, par un éditeur du faubourg Saint-Germain. Les sous-titres te décourageront peut-être, car ils sont assez rébarbatifs :

« La Petite Entente et le problème du Proche-Orient »,
« Bismarck vu par les Sud-Américains »…

Je cite au hasard. Ce sont des faits précis, des dates, des comptes rendus d'entretiens officiels ou confidentiels, des rapports d'agents secrets, l'envers, ou les dessous de l'Histoire.

Pourtant, en dépit d'une sécheresse voulue, on devine, à l'arrière-plan, une vie brillante, souvent insouciante, des réceptions, des bals, des intrigues où se mêlent l'amour et la politique.

Non seulement ma mère et ses sœurs ont connu cette existence, mais ma mère a tenu, sur une scène dont le décor était celui des dernières cours, un rôle brillant. Pour elle, Édouard VII, Léopold II, l'empereur d'Allemagne, les grands-ducs, n'étaient pas des noms dans les journaux et les manuels, mais des êtres en chair et en os qui ont souvent, pour certains, figuré sur son carnet de bal.

Elle était belle, son portrait au pastel qui se trouve dans mon bureau en fait foi, et, ce qui te surprendra sans doute, elle avait une vitalité débordante, un dynamisme, comme on dit aujourd'hui, qui en faisait le centre de toutes les fêtes. Plus libre d'allures que la plupart des jeunes filles de son monde en ce temps-là, on lui a imputé, sinon des aventures, tout au moins des imprudences qui alimentaient la chronique scandaleuse.

Elle avait vingt-huit ans quand son père a occupé pour un temps, au Quai d'Orsay, un poste difficile, et c'est alors qu'elle a rencontré mon père, de quatre ans son cadet. Ses sœurs étaient toutes mariées et l'on prétendait qu'elle ne se marierait jamais parce qu'elle avait trop de personnalité et qu'elle refuserait de se plier aux volontés ou aux désirs d'un homme.

Il y a eu un drame, à cette époque, que je n'ai connu que par ma sœur, et j'ignore par qui elle en a entendu parler, car, naturellement, il n'en a jamais été question à la maison.

En 1903, les duels n'étaient pas rares, encore que moins fréquents qu'au siècle précédent, et c'est dans un duel à l'épée qu'un des chevaliers servants de ma mère, un comte italien, a perdu la vie. L'affaire, paraît-il, a pris naissance au « Maxim's » où, devant une joyeuse compagnie, quelqu'un se serait permis, sur la fille de l'ambassadeur Aillevard, des plaisanteries d'un goût douteux. L'offenseur était un baron balte et, quelques heures plus tard, dans le bois de Meudon, il blessait son adversaire qui devait succomber.

L'Allemand a dû quitter Paris en hâte et il ne prévoyait pas qu'il reviendrait jusqu'aux portes de notre capitale, sans jamais l'atteindre, pendant la guerre de 1914. Son nom est connu. Celui de sa victime ne l'est pas moins en Italie. Est-ce que, dans leur famille aussi, on garde le souvenir de cet événement et y a-t-il des fils ou des neveux à qui on raconte le rôle que ta grand-mère a joué sans le vouloir dans leur vie ?

Tu as entendu parfois ta mère, excédée par quelque discussion futile, me lancer :

— Ce n'est pas ma faute si je ne suis pas une Lefrançois.

Ou encore, te regardant dans certaines circonstances, grommeler :

— Tu es bien un Lefrançois !

Elle a beau faire, elle n'oublie pas ses origines et, à son insu, elle m'en veut des miennes. Ce qui, pour moi, n'est qu'une réalité assez plate, prend du prestige à ses yeux et elle en est comme insultée.

Chaque couple, quoi qu'on fasse, n'est pas seulement formé de deux individus, mais de deux familles, de deux clans. Son esprit, son mode de vie, n'est jamais qu'un compromis entre deux esprits, deux modes de vie différents, et il est fatal que l'un ou l'autre l'emporte. C'est une bataille, avec un vainqueur et un vaincu, et il est naturel que cela provoque des ressentiments, quand cela n'engendre pas la haine.

Je ne savais pas ça, à Cannes. Je n'y avais jamais pensé. Je t'avouerai même que je ne me suis senti un Lefrançois que du jour où tu es né.

L'écart entre le milieu de ma mère et celui de mon père était moins grand que celui qui existe dans notre ménage. Tous les deux appartenaient à un monde, au monde tout court, que l'on citait quotidiennement en seconde page du *Gaulois* d'alors et du *Figaro*, et qu'on a souvent appelé l'aristocratie bourgeoise.

Il n'y en avait pas moins des nuances. Les Aillevard n'avaient plus de fortune, surtout après que l'ambassadeur eut déjà doté quatre filles, mais restaient au premier plan de l'actualité, tandis que Armand Lefrançois, veuf, faisait sourire par ses allures de vieux beau.

Mon père, qui venait de terminer son droit, hésitait sur le choix d'une carrière et l'idée ne lui serait pas

venue que cela pût être en dehors de la haute administration.

Ils se sont rencontrés à un bal officiel, quelques mois
après le fameux duel dont on devait encore parler, et
mon père est tombé follement amoureux.

Vois-tu à quel point on doit se méfier de certaines
images ? Cette vieille femme énorme, à la chair malsaine, que tu n'as connue que dans son fauteuil, l'œil
fixe, l'esprit absent, était alors une des jeunes femmes
les plus vives et les plus spirituelles de Paris, où ses
irrévérences faisaient scandale.

De quatre ans plus jeune qu'elle, ce qui compte à cet
âge-là, frais émoulu de l'université, je soupçonne mon
père d'avoir été impressionné, non seulement par elle,
mais par son père.

Bien qu'elle eût coiffé Sainte-Catherine, elle ne man-
quait pas de soupirants plus brillants que lui.

Il m'a confié un jour :

— J'ai failli, croyant faire plaisir à ta mère, entrer,
moi aussi, dans la Carrière.

Était-elle lasse de vivre aux quatre coins du monde ?
C'est probable. N'oublie pas que c'était son premier
séjour prolongé en France et que cela constituait pour
elle une découverte.

La villa Magali était la maison de campagne des
Aillevard. C'est là, le dimanche, que mon père rejoi-
gnait sa fiancée, entourée d'une jeunesse brillante.

Mon père était bel homme et, malgré l'âge, l'est resté
jusqu'au bout. Il avait, au moral comme au physique,
une élégance innée que j'appellerais de la race si ce
mot ne me paraissait prétentieux.

Ce que je veux souligner, c'est qu'à ses yeux la fille de l'ambassadeur Aillevard lui était supérieure, qu'elle était un être à conquérir et que la compétition était grande. Elle était un centre d'attraction, une lumière, et il n'était, lui, qu'une des ombres qui gravitaient à l'entour.

Ceci est très important, car j'y vois l'explication de son attitude, non seulement pendant la seconde partie de sa vie, mais pendant les dernières années de la première, qui s'est terminée en 1928.

Jeune homme, il avait eu la conviction qu'il ne la méritait pas et qu'il rêvait d'elle en vain. Quand elle a accepté de devenir sa femme, il lui en a été reconnaissant, comme d'un don qu'elle lui faisait en renonçant à une existence plus prestigieuse.

L'a-t-elle encouragé dans cette façon de voir ? Ce n'est pas à moi de répondre et je ne possède pas les éléments pour le faire. À te dire vrai, je soupçonne que oui. À son insu, peut-être. Elle avait une telle habitude de l'adulation qu'il devait lui paraître naturel d'être aimée.

Cela l'a amusée, au début, de suivre son mari dans ses premiers postes assez obscurs, de mener la vie des sous-préfectures, si différente de celle des grandes ambassades.

Je l'ai encore connue belle, et si vivante qu'à côté d'elle ta mère aurait paru placide.

Ils ont eu ma sœur d'abord, puis moi, à quatre ans d'intervalle, et ce n'est que quand j'ai eu douze ans, peu après notre installation à La Rochelle, que le drame a eu lieu.

Ma mère avait quarante ans et les photographies de l'époque me prouveraient, s'il en était besoin, que le temps ne l'avait pas marquée. Il paraît que, tout enfant, je disais avec extase en me coulant dans ses bras :

— Tu es belle !

Et je déclarais péremptoirement à mes petits camarades :

— J'ai la plus belle maman du monde.

N'y avait-il pas déjà chez elle comme un signe ? Son activité même, par son outrance, n'était-elle pas inquiétante ?

Toujours est-il qu'un jour elle s'est crue enceinte et que, comme elle ne s'y attendait plus, cela l'a, paraît-il, amusée.

Elle souriait encore avec une pointe d'ironie en nous quittant pour aller voir le médecin, mais, à son retour, il y avait comme un voile sur son visage.

Je me souviens de cette journée-là, un jeudi d'octobre. N'allant pas à l'école, j'avais insisté pour l'accompagner et elle m'avait répondu :

— Ce n'est pas si amusant d'aller voir le médecin.

Celui-ci, très grand, qui assistait parfois aux soirées de la préfecture, avait des moustaches rousses et un crâne en pain de sucre. Ma mère était partie vers trois heures. Dès quatre heures, mon père, de son cabinet, appelait notre appartement par le téléphone intérieur.

— Maman n'est pas rentrée ?

— Pas encore.

Il a appelé deux ou trois fois de la sorte. J'ignorais encore qu'on s'attendait à me donner un petit frère ou une petite sœur. Ta tante Arlette, qui avait quinze ans, recevait des amies au salon.

Je me rappelle le baiser distrait de ma mère à son retour, son air soucieux.

— Qu'est-ce qu'il a dit? ai-je questionné. Tu es malade?

— Ce n'est rien de grave. Ne t'inquiète pas.

— Mon père a téléphoné plusieurs fois.

Elle a souri, décroché le téléphone.

— Philippe? Je suis rentrée.

Il a dû lui poser une question et elle a eu un petit rire amer.

— Non! Ce n'est pas ce que nous croyions. Tu es très déçu?

J'entendais à nouveau la voix de mon père dans le récepteur.

— Je t'en parlerai tout à l'heure, lui répondit-elle. Alain est avec moi. Non! Je ne crois pas que ce soit terrible.

Un peu plus tard, je les ai surpris qui chuchotaient entre deux portes, et le dîner a été morne. On m'a fait coucher plus tôt que d'habitude, sans suivre les rites. Car, comme dans chaque famille, – il en a été de même pour toi, – notre coucher s'accompagnait d'un certain nombre de rites.

Je ne soupçonnais pas que j'étais en train de perdre ma mère, tout au moins ma mère telle que je l'avais connue, et que mon père perdait sa compagne.

Le 27 octobre, une date qui est restée gravée dans ma mémoire, elle entrait dans une clinique de la ville, après nous avoir embrassés, ma sœur et moi, en plaisantant une dernière fois.

Ce qu'on avait pris pour une grossesse était en réalité une tumeur. Lorsque, quinze jours plus tard, on a ramené ma mère à la préfecture, elle était la même en apparence et, dans les premiers temps, nous nous y sommes tous trompés. Elle revenait rapidement à la vie, commençait à marcher dans sa chambre, puis dans l'appartement. Peu à peu, cependant, nous nous apercevions que ses traits n'avaient plus leur netteté, qu'ils devenaient flous, et que son corps s'épaississait.

Une phrase m'est restée, de cette époque-là :

— Je sais que je devrais prendre de l'exercice, mais j'ai si peu de courage !

En mars, on l'opérait à nouveau et, dès le mois d'août, elle avait tellement grossi qu'elle ne pouvait plus mettre aucune de ses robes.

Il m'est arrivé souvent, depuis, de discuter de son cas avec des amis médecins, en particulier avec des médecins de ma compagnie. Ils ne sont pas tous d'accord. Ils ont, chacun, des explications presque satisfaisantes.

Il était à peu près fatal, paraît-il, qu'après ces deux opérations, ma mère grossisse et qu'il lui vienne cette chair asexuée, et l'on devait s'attendre à une longue dépression, voire à un changement définitif de son caractère.

Cela ne me suffit pas et je suis sûr que cela n'a pas suffi à mon père. En est-il arrivé aux mêmes conclusions que moi et, si oui, jusqu'à quel point en a-t-il été affecté ? Dans ce cas, je l'admire d'autant plus pour la façon dont il s'est comporté jusqu'à la fin.

Il y a eu un moment où ma mère a renoncé, où elle s'est retirée volontairement de la vie. Cela s'est produit pour ainsi dire du jour au lendemain, entre sa première visite au médecin à moustaches rousses et sa convalescence.

Un jour, elle a découvert qu'elle n'était plus une femme, qu'elle ne serait jamais plus une femme, qu'elle continuerait à grossir, à devenir presque difforme, le visage empâté.

— Neurasthénie, ont diagnostiqué les premiers médecins, en présence de qui on la mettait sans la prévenir, car elle ne voulait pas en voir. Cela passera avec le temps.

Cela n'a pas passé, tout au contraire. Dès les premiers mois après son opération, dès les premières semaines peut-être, ma mère s'était comme emmurée vivante.

Ce n'est pas dans la vieillesse qu'il lui est venu ce regard fixe, indifférent, que tu lui as connu. À ton âge, j'avais les mêmes yeux devant moi et, déjà, repliée sur elle-même, elle se montrait indifférente à ce qui l'entourait.

Je n'ai pas le droit de la juger. Je manque, en outre, des qualifications pour le faire. Je me rappelle cependant le froncement de sourcils de certains docteurs amis de mon père et la sympathie appuyée qu'ils éprouvaient soudain le besoin de lui marquer.

Ma mère, à mon avis, si éblouissante pendant la première partie de sa vie, n'a pas accepté l'amoindrissement. La tentation de se tuer ne lui est-elle pas venue, lorsqu'elle a appris que, d'un coup de bistouri, on avait fait d'elle une vieille femme? Je l'ignore. J'ignore aussi si c'est par lâcheté physique qu'elle ne l'a pas fait ou pour nous punir.

Ne te hérisse pas; ne crois pas à une sorte de blasphème de ma part. J'essaie de comprendre. Un professeur fameux pour ses diagnostics et sa franchise a dit à mon père, quelques années plus tard, et me l'a répété par la suite, quand, pour ma compagnie, je me suis trouvé en rapport avec lui :

— Il n'y a rien à faire. Elle ne *veut* pas guérir.

Qui, dans son esprit, punissait-elle de la sorte? Nous entrons là dans un domaine de plus en plus délicat. Peut-être mon père qui, le plus obscur parmi ses soupirants, l'avait arrachée aux autres et à sa brillante existence?

Nous-mêmes, je veux dire ma sœur et moi, moi surtout, né le dernier, et indirectement responsable de sa déchéance physique?

Ou encore ne se punissait-elle pas elle-même de je ne sais quel péché qu'elle se reprochait soudain? Enfin, ne punissait-elle pas le monde entier qui continuait à vivre alors qu'elle se considérait comme une morte ambulante?

Détachée de tout, elle ne donnait même plus aux domestiques les ordres indispensables et je revois mon père, le matin, établir les menus avec la cuisinière avant de se rendre à son cabinet. Elle continuait à présider, sans mot dire, le regard absent, un étrange sourire aux lèvres, les dîners officiels et, les premiers temps, mon père était obligé de mettre les invités au courant.

C'est à cause d'elle et de cette situation, qu'il a refusé Versailles, qui lui était proposé et qui aurait été le couronnement de sa carrière, avec peut-être, à la fin, la Préfecture de Police de Paris.

Mais ce n'est pas à cause d'elle, je m'empresse de le dire, qu'ils ont échoué tous les deux dans la villa du Vésinet.

C'est à cause de moi, de moi seul, et ma mère n'a été pour rien dans mon comportement.

Du drame de 1928, je suis l'unique responsable.

Dois-je me faire l'écho, ici, de l'opinion de ma sœur ? Elle prétend connaître la famille mieux que moi et je le lui concède volontiers. Étant mon aînée, elle a connu notre père plus longtemps que moi avant les événements que je viens de raconter. Par la suite, elle devait recueillir, à Paris, des échos mondains, ou des potins, qui ne sont pas venus jusqu'à moi.

Selon ma sœur, donc, ma mère aurait épousé mon père par dépit amoureux, un peu comme certaines jeunes filles entrent au Carmel.

— Tu ne comprends donc pas ce que cela représentait pour elle, habituée à la vie des ambassades, d'aller s'enterrer dans la première sous-préfecture venue ? En se mariant, elle ne cherchait pas un avenir quelconque, elle fuyait un passé. La preuve, c'est que notre père, à ce moment-là, avait encore le choix de sa carrière. Il aurait pu obtenir, avec les appuis qu'il possédait, un poste à Paris, ou entrer à son tour dans la diplomatie.

C'est elle, j'en suis persuadée, qui a choisi de courir à sa suite les petites villes de province, peut-être avec l'arrière-pensée de se punir.

Ma sœur m'a dit encore, comme j'élevais des objections :

— À cette époque, tu n'étais qu'un gamin naïf, qui prenait tout pour argent comptant. Tu n'as pas assisté aux réceptions et aux dîners que donnaient nos parents, ni aux bals de sous-préfecture ou de préfecture. Notre mère s'y montrait pleine d'entrain, mais c'était un entrain artificiel et son enjouement était à base de féroce ironie. Elle jouait le jeu, aimable avec les épouses ridicules des conseillers généraux et avec les jeunes filles à marier. Comment ne comprends-tu pas qu'elle se moquait de celles-ci et d'elle-même ?

C'est possible. Je crois cependant, je veux croire que ma mère n'en a pas moins eu, pour mon père, une certaine forme d'amour.

Quant à lui, il lui a, toute sa vie, été reconnaissant de l'avoir choisi. Il se considérait comme responsable de son bonheur et il s'est considéré comme indirectement responsable de sa déchéance, puis de son renoncement.

Je me rends compte que tout ceci n'est pas clair, mais nous sommes dans un domaine où il n'existe pas de vérités évidentes. Tu les as connus tous les deux beaucoup plus tard, alors qu'ils étaient devenus une caricature de Philémon et Baucis, une Baucis au corps gonflé d'eau, à la peau blême, aux yeux perdus dans un rêve sans fin, un Philémon qui faisait avec dignité des gestes précis de garde-malade ou de servante.

Ma sœur affirme encore – avec l'assurance, la *certitude* qu'elle apporte en toutes choses – que notre mère ne nous a jamais aimés, ni elle ni moi, que nous n'avons été pour elle que des accidents plus ou moins désagréables et que, plus tard, elle nous englobait dans le ressentiment qu'elle vouait à mon père.

Je serais tenté de le croire car, en observant les gens autour de moi, je me suis mis à douter, moi aussi, de l'universalité de l'amour maternel. Qu'il existe, c'est certain. Mais que beaucoup de femmes ne le connaissent jamais, ou ne le connaissent que pendant un certain temps, – souvent le temps de l'allaitement, comme chez les femelles d'animaux, – c'est incontestable.

Récemment, un procès a soulevé l'indignation populaire. Une femme encore jeune, reconnue normale et responsable de ses actes par les psychiatres, a tué son enfant de trois ans parce que son nouvel amant l'avait mise au défi de lui donner cette preuve d'amour.

Le cas n'est pas unique et, si l'opinion s'émeut si fort, c'est que nous avons tendance à croire que l'homme est ce que nous voudrions qu'il soit…

Nous avons bâti un homme type – qui varie selon les époques – et nous nous y raccrochons si bien que nous considérons comme un malade ou comme un monstre tout ce qui ne lui ressemble pas.

Une des causes de nos propres tortures n'est-elle pas la découverte, que nous ne tardons pas à faire, que nous n'y ressemblons pas nous-mêmes ?

Notre première déception d'enfant ne nous vient-elle pas lorsque nous commençons à soupçonner que notre père ou notre mère ne sont pas « le père » et « la mère » de nos livres d'images ?

C'est cette déception-là que j'ai tant guettée chez toi, dès que tu nous as observés. Si je n'ai rien lu dans tes yeux, c'est peut-être que l'enfant a honte de ses découvertes.

6

Il est temps, maintenant, malgré ma répugnance, que je te parle de Nicolas et de mon adolescence, dont ce prénom est presque le symbole. Cela t'aidera à comprendre certaines de mes attitudes à ton égard, certaines questions que je te pose avec insistance et qui te hérissent.

— *Tu as un nouvel ami ?*

Il est rare que je me trompe, et ce n'est pas sorcier. Lorsque je te vois adopter de nouveaux gestes, de nouvelles tournures de phrases, de nouvelles attitudes, c'est presque toujours que tu as changé tes fréquentations. Cela t'irrite que je le découvre, car c'est t'accuser, en somme, de n'être pas toi-même, de copier quelqu'un ; aussi je m'efforce de t'interroger avec délicatesse, sur un ton badin, en camarade.

Ta mère est moins timide que moi dans ce domaine comme dans tant d'autres, parce qu'elle a une idée précise du bien et du mal, de ce qui est bon ou dangereux pour toi, et elle trouverait naturel de choisir elle-même tes fréquentations.

Maintes fois, elle m'a accusé de ne pas remplir mon devoir de père en te laissant la bride sur le cou, et je me rends compte que, s'il t'arrive un jour une catastrophe, j'aurai à en porter la responsabilité pleine et entière.

Cela me fait peur, je te l'avoue. À mesure que tu avances en âge, je tremble davantage, comme la plupart des pères, et je me sens moins sûr de moi.

Et, pourtant, ta mère, si elle avait été à la place de mes parents, ne m'aurait pas empêché d'avoir Nicolas pour ami. Je n'écris pas son nom de famille, pour des raisons qui t'apparaîtront par la suite. Je l'ai connu dès la cinquième, au lycée de La Rochelle, mais, pendant trois ans, nous sommes restés de vagues condisciples.

C'était un garçon plus grand que moi, un roux, au visage et aux mains piquetés de taches de son, aux yeux bleu pâle et très doux.

Contrairement à ce qu'on pourrait croire, il n'est pas agréable, pour un jeune garçon, d'être le fils du préfet car, si cela lui donne un certain prestige, cela éveille aussi, chez les autres, de la méfiance et de la jalousie, de sorte qu'au lieu de m'enorgueillir de la situation de mon père, j'étais plutôt tenté, par mon humilité, de me la faire pardonner.

Ce n'est pas la cause unique de ma timidité. Je suis timide par nature, j'ai toujours eu tendance à me replier sur moi-même, comme ma mère, elle, un beau jour, l'a fait complètement et définitivement.

Je voudrais traduire par des images ce que je ressentais. Tu n'as pas encore eu l'occasion de remarquer que les premiers dessins d'un enfant représentent presque toujours une maison, semblable, dans son esprit, à sa maison, et cela a été ton cas aussi. Cette maison restera dans la mémoire avec ses moindres détails, qu'il s'agisse d'une ferme, d'un pavillon de banlieue ou d'un appartement de Paris avec sa loge de concierge, l'ascenseur ou l'escalier et les paillassons devant les portes.

Moi, je trouvais, en rentrant de classe, des agents qui, plantés devant le portail, me saluaient et, des deux côtés de la voûte, des inscriptions administratives avec des flèches :

1ᵉʳ étage, à gauche : 2ᵉ Division – Affaires départementales.
1ᵉʳ étage, à droite : 3ᵉ Division – Assistance sociale, Hôpitaux, Hygiène, Travail, Logement.
Au fond de la cour, escalier C…

Nous étions cernés par des escaliers grisâtres, des couloirs numérotés, dans lesquels s'engouffraient les courants d'air et, quand je cherche mes premiers souvenirs de mon père, je pense d'abord à un vieil huissier à chaîne, assis à une petite table devant une porte matelassée.

Nos appartements privés étaient trop grands, presque toujours trop hauts de plafond, et je me souviens d'une recommandation qu'on m'a si souvent faite :

— *Attention aux tapisseries !*

Car c'est la tradition d'orner les préfectures de Gobelins ou d'Aubussons.

Ce n'était pas à nous. Nous n'étions pas chez nous.

— Chut! me disait la bonne. Monsieur le préfet reçoit.

Je n'avais pas, comme tout le monde, un père, une mère, des frères et sœurs, voire une bonne ou plusieurs domestiques; j'étais entouré d'une foule de gens qui, dans mon esprit, avaient des droits sur nous, le droit, en particulier, d'interrompre notre vie familiale pour quelque affaire urgente.

De sorte que ce qui, aux yeux de mes condisciples, passait peut-être pour un avantage, était, à mes yeux, une infériorité.

Tout le monde, sauf nous, sauf moi, avait droit au temps, à l'attention de mon père, le directeur de son cabinet, M. Tournaire, plus que les autres, le secrétaire général, les chefs de division, qui étaient quatre, les personnalités de passage, les électeurs influents et jusqu'aux quémandeurs.

C'est à peine si, deux fois par semaine, nous dînions entre nous et, dans ces cas-là, il était rare que mon père ne soit pas appelé au téléphone ou qu'il n'ait pas à interrompre son repas pour recevoir quelqu'un.

Il y a eu un âge, vers onze ou douze ans, où je lui en ai voulu d'accepter cette servitude et de n'être pas ce que j'appelais à part moi « un père comme les autres ».

Mes camarades d'école m'enviaient, sans se douter que je les enviais davantage.

Et, par la suite, je les ai enviés pour une autre raison. Vivant la vie de n'importe qui, ils pouvaient conserver leurs illusions.

Remarque que tout ceci est faux, je l'ai découvert plus tard, mais je m'efforce de retrouver mes idées lorsque j'avais ton âge.

Vivre à la préfecture, c'était vivre dans la coulisse et connaître, bon gré, mal gré, toutes les ficelles. Je t'ai parlé de Légion d'honneur. Cela me rappelle un coup de téléphone auquel j'ai assisté. Mon père écoutait, en continuant à lire un document posé devant lui et qui n'avait aucun rapport avec la conversation en cours. Son interlocuteur avait une voix sonore qu'on entendait, déformée, loin de l'appareil.

De temps en temps, mon père, distrait, murmurait :

— Oui… oui… je comprends…

Je le revois biffer au crayon rouge quelques mots sur le document dactylographié puis, une fois son interlocuteur silencieux, je l'entends prononcer :

— Vous êtes sûr qu'il ne se contenterait pas des palmes ?… Oui… oui… je comprends… Eh bien ! cher ami, c'est convenu. Je transmettrai la proposition au ministre… Du moment que vous considérez que c'est nécessaire, vous pouvez lui promettre la croix…

C'est un petit exemple entre mille. Ce qui, pour les autres, est presque sacré, ne l'était pas pour nous, ne l'était déjà plus pour moi.

— Oui… oui… Vous êtes certain qu'il n'y a pas eu de dégâts ?… Je passe un coup de fil au commissaire central… Rassurez-le, cher ami… Tout s'arrangera…

Au début, cela me donnait l'impression d'une tricherie, d'une tricherie que mon père acceptait, à laquelle il participait, et je lui en ai longtemps voulu.

Même en classe, il m'était impossible d'être « pur ». Souvent, je me demandais si mes camarades n'étaient pas gentils avec moi parce que leurs parents attendaient une faveur de mon père et cela s'étendait à mes professeurs, car j'avais rencontré l'un d'eux qui sortait de la préfecture et j'avais entendu dire ensuite à table :

— Le pauvre type ! Les médecins lui interdisent le climat de l'océan et c'est ici qu'on l'a nommé ! Je lui ai promis mon appui pour qu'il obtienne un poste en Savoie.

Les parents de mes amis dépendaient tous plus ou moins de mon père à un titre quelconque et je ne me sentais de plain-pied avec personne ; il m'arrivait d'avoir envie de crier :

— On triche !

Pourtant, mon père ne trichait pas ; il faisait en conscience ce qu'il avait à faire, j'ai pu m'en rendre compte depuis.

C'était moi qui étais trop jeune pour affronter l'envers du décor et qui n'étais pas à même de comprendre. C'est une raison pour laquelle je suis incapable d'en vouloir à ma sœur qui, elle, a accepté notre position comme un dû, qui en a tiré la conclusion qu'il existe la race de ceux qui savent et celle de ceux qui ne savent pas, j'allais dire des naïfs et des autres – et qui n'a que mépris pour les naïfs.

Au contraire, je me suis placé, d'instinct, ou par esprit de protestation, du côté des naïfs. Et, découvrant que Nicolas en était un, j'en ai fait mon ami.

Pendant trois ans, je l'avais à peine remarqué car, dans toute la classe, un certain nombre d'élèves ne semblent là que pour la figuration et les professeurs eux-mêmes paraissent ignorer leur existence.

C'était son cas. Lent d'esprit, ou lymphatique, il était dans les derniers, mais pas d'une façon assez agressive pour que cela fasse de lui un personnage. Il n'appartenait ni à ceux qui, les portes ouvertes, s'élancent à vélo vers la banlieue ou la campagne, ni à ceux qui se divisent en petits groupes et s'attendent les uns les autres pour faire route ensemble.

Il a fallu qu'en troisième notre professeur d'anglais le prenne en grippe pour que je le remarque. Ce professeur-là, je l'ai su depuis, était malheureux en ménage, mal vu du corps enseignant, et il avait l'habitude, chaque année, de choisir un souffre-douleur, car les élèves, en bloc, lui faisaient peur, et il avait besoin de se raccrocher à celui d'entre eux qui lui paraissait le moins dangereux.

À chaque leçon d'anglais, nous eûmes bientôt une sorte de sketch entre lui et Nicolas, qui s'y attendait et se levait, congestionné, les oreilles pourpres.

C'est par des allusions du professeur que j'appris que la mère de Nicolas vendait de la layette, des articles pour bébés et des jouets, ce qui fournissait matière à des plaisanteries faciles. Je connaissais le magasin, rue Guitton, entre une charcuterie, où nous nous servions, et une maroquinerie, et je ne tardai pas à faire le chemin, presque chaque jour, en compagnie de Nicolas.

Son père était mort dans un sanatorium. Lui-même, qui paraissait tellement plus costaud que moi, avait passé deux ans en haute montagne et sa mère craignait pour lui le moindre rhume ; il avait tant entendu parler de maladie qu'il avait décidé d'ores et déjà d'étudier la médecine.

— Si je suis capable de passer mon bac, bien entendu! concluait-il, car il n'avait aucune confiance en lui.

Contrastant avec ce grand garçon aux allures de colosse, sa mère était une femme petite et menue qui semblait être née pour être veuve et pour trottiner sans bruit dans l'atmosphère feutrée d'un magasin de layette.

Elle m'était reconnaissante d'être devenu l'ami de son fils et n'oubliait jamais que j'étais le fils du préfet, ce qui me mettait mal à l'aise. Lorsque j'accompagnais Nicolas chez lui, pour étudier en sa compagnie, elle se précipitait dans la cuisine, derrière le magasin, et faisait disparaître toute trace de désordre.

— Vous prendrez bien quelque chose, monsieur Alain?

Il a fallu des mois – et j'ai dû faire intervenir Nicolas – pour qu'elle ne m'appelle plus monsieur et elle ne s'est jamais sentie de plain-pied avec moi.

— Tout à l'heure, j'ai vu passer mademoiselle votre sœur avec une de ses amies. Quelle jolie demoiselle! Et comme elle est distinguée!

Nicolas n'était pour rien dans mon évolution. Au contraire! Comme sa mère, il acceptait le monde tel qu'il était, la place qui lui était assignée, et jamais je ne lui ai vu un mouvement de révolte, pas même contre notre professeur d'anglais.

Je crois qu'il était heureux, et sans doute l'est-il encore dans le village des Charentes où l'on m'a dit qu'il exerce la médecine et où sa mère est allée finir ses jours près de lui.

— Puis-je vous demander, monsieur Nicolas, à quoi vous rêvez?

Je le revois, près de la fenêtre, sursautant, regardant autour de lui d'un air confus.

— Pardon, monsieur!

Il était le seul que le professeur appelât autrement que par son nom de famille, sans doute parce qu'il trouvait le prénom Nicolas ridicule.

Peu importe! Nous nous entendions bien, Nicolas et moi. Petit à petit, je me suis détaché des autres groupes, dont, d'ailleurs, je n'avais jamais fait vraiment partie, et il est resté mon seul ami. Nous le sommes restés longtemps, jusqu'en 1928, et, pourtant, je n'ai pas une seule fois éprouvé le besoin de lui révéler le fond de ma pensée.

En somme, j'avais choisi un compagnon commode et mon choix était en même temps une protestation.

— Entendu, mon cher, disait mon père au téléphone. Mais non, je vous en prie, ne vous dérangez pas. Si vous voulez envoyer quelqu'un demain matin à mon bureau, le papier sera prêt.

Pour les uns, tout était facile, tandis que, dans les couloirs de la préfecture, il m'arrivait de rencontrer de vieilles paysannes, leur cabas au bras, qui se raccrochaient au premier venu.

— Pardon, mon bon monsieur, vous ne pourriez pas me dire où on doit s'adresser pour les pensions de vieillesse?

Devant d'autres portes, des hommes, mal rasés, des femmes avec un bébé au sein, faisaient la queue.

Je n'en voulais pas à mon père, mais je n'étais pas fier de sa situation, ni de son pouvoir. J'étais plutôt tenté de le plaindre d'être ainsi obligé de ménager certaines gens, de leur sourire, de les appeler « cher ami », un mot que j'avais en horreur, et de les inviter à notre table.

Il y avait, à cette époque-là, à La Rochelle, un personnage important, nommé Porel, qui, fort indirectement, a joué un rôle dans le drame de 1928, et c'est pourquoi je crois nécessaire d'en parler.

Porel, bien que n'occupant aucune position, n'ayant aucun titre, ni aucune profession, n'en était pas moins une sorte d'institution et, maintes fois, mon père a eu à compter avec lui ; il a même, je pense, à plusieurs reprises, tenté de l'amadouer sans y parvenir.

Fils de pêcheur, il avait débuté comme capitaine au long cours au service d'un armateur local dont les bateaux importaient le charbon d'Angleterre. Que s'est-il passé au juste ? Je ne m'en suis pas préoccupé à l'époque ; je sais seulement que Porel avait été prié de donner sa démission.

À quarante ans, il passait ses journées sur les quais, au marché au poisson, sur le môle de La Pallice et dans les cafés du port, en particulier « Chez Émile », où il avait sa table dans le coin, près de la fenêtre.

Il était blond, assez gras, mal soigné et, quand je l'ai vu pour la première fois, après en avoir entendu parler à la maison, j'ai été surpris par son air quasi innocent, j'allais écrire inoffensif. Il n'a pas été sans me faire penser à Nicolas, dont il avait les yeux clairs, à la différence qu'il portait des verres épais comme des loupes.

Quel était au juste le rôle de Porel dans la vie et dans la politique locales, ce serait assez difficile à dire sans tomber dans les exagérations de l'un ou l'autre camp.

Pour les tenants de l'ordre, le gouvernement, la préfecture, les armateurs et, par exemple, la mère de Nicolas, c'était un agitateur sans scrupules, un pêcheur en eau trouble qui mettait un certain sadisme à déclencher le désordre.

Ceux-là mêmes lui reconnaissaient, sous ses aspects frustes et candides, une intelligence diabolique et un sens juridique qui a mis souvent les autorités dans l'embarras.

Pour les autres, c'était une sorte de héros, un homme instruit, qui aurait pu les regarder de haut et qui les accueillait cependant la main tendue, prêt à les écouter et à leur donner de bons avis.

Son père lui avait laissé des parts dans deux ou trois chalutiers, mais cela ne lui rapportait pas de quoi vivre. Porel était marié, avait trois ou quatre enfants, – j'en ai vu un entrer au lycée l'année où j'en sortais, – et vivait, du côté de Lalou, dans une maisonnette entourée de terrains vagues.

De qui recevait-il des subsides, s'il en recevait ? Le syndicat des dockers, dont il était le chef plus ou moins occulte, le payait-il ?

Il avait en main, outre les dockers de La Pallice et du bassin charbonnier, les équipages des chalutiers à la grande pêche, et il pouvait aussi, affirmait-on, provoquer une grève au bassin de radoub.

Je sais que, peu avant les dernières élections, mon père l'a reçu à plusieurs reprises dans son bureau, presque en cachette, le soir après dîner. Y eut-il des transactions entre eux ? En tant que représentant du gouvernement, mon père avait-il besoin de neutraliser Porel et celui-ci s'est-il laissé convaincre ?

Tout cela, fils, je l'ignore, comme tu ignores mon activité. Ce n'est que plus tard qu'on cherche à comprendre et qu'on s'aperçoit qu'on a vécu sans rien voir autour de soi.

Dans mon souvenir, Porel est presque un être de légende, un symbole, l'homme qui incarnait la révolte et, à cause de cela, il n'était pas sans prestige à mes yeux.

Comprends-moi bien. Je ne prenais pas aussi ouvertement parti que je parais le faire. D'un côté, mon père représentait l'ordre « accepté », tandis que son directeur de cabinet, par exemple, M. Tournaire, puis, plus tard, ton oncle Vachet, ont symbolisé l'ordre « imposé » ou, si tu préfères, les malins et les profiteurs.

Entre eux et l'insoumission personnifiée par Porel, Nicolas et sa mère, dans leur logement propre et étriqué, derrière le magasin de layette, faisaient assez bien figure de « bon peuple », de ceux qui obéissent sans se poser de questions parce qu'ils ont été dressés à l'obéissance.

Si paradoxal que cela paraisse, alors que je vivais dans un milieu étroitement lié à la politique et que, lorsque nous avions à table des députés, des sénateurs, des conseillers, on en discutait devant nous, je n'ai jamais eu la notion de gauche ou de droite ; c'est à peine si je connaissais la distinction entre les partis et j'avais une répugnance instinctive à lire les journaux.

Je n'étais pas un révolté. Je ne souhaitais pas Dieu sait quel changement de régime, mais mes sympathies me portaient plutôt vers les dirigés que vers les dirigeants ou, si tu préfères, en exagérant, vers les écrasés plutôt que vers les écraseurs.

Avec Nicolas je me sentais à l'aise et jamais il ne nous est venu à l'idée de discuter de ces questions. Qui sait si je ne l'avais pas choisi parce qu'avec lui il n'était pas nécessaire de parler ? À ses yeux, tout était simple. Il lui fallait d'abord passer son bac, ce qui serait presque un miracle. Puis il irait faire sa médecine à Bordeaux, où il avait une tante, et enfin s'installerait dans les environs de La Rochelle, dans un village de préférence, car sa mère rêvait de finir ses jours à la campagne.

Ses opinions sur les gens avaient la même candeur. Il disait le plus souvent :

— C'est un bon type !

Car il ne voyait le mal nulle part. Je me demande si son optimisme ne tenait pas, en partie, à ce que, enfant, quand il était entré dans un préventorium, il n'avait pas espéré en sortir vivant. Son existence devenait comme un second cadeau du ciel, car il était catholique et, chaque matin, avant le lycée, il trouvait le temps d'assister à la messe.

Nous ne discutions pas davantage religion que politique. Simplement, cela lui paraissait étrange que je n'aie pas fait ma première communion et que je ne sois entré dans une église qu'à l'occasion de mariages ou d'enterrements.

Nous avons commencé, ensemble, à porter nos premiers pantalons longs – on commençait plus tard que maintenant – et, ensemble aussi, nous avons fumé nos premières cigarettes, lui en se cachant, parce que sa mère le lui interdisait, moi sans me cacher, car mon père n'y voyait aucun mal.

Ensemble aussi, un soir d'hiver, nous sommes entrés dans une maison à gros numéro du quartier des casernes et nous nous sommes retrouvés, une heure plus tard, sur le trottoir où nous nous étions donné rendez-vous.

Nous étions aussi gênés, aussi déçus, sinon écœurés, l'un que l'autre, mais nous n'en avons pas parlé et, quand il y est retourné, – je le sais, puisque j'y suis retourné moi-même et qu'on m'a parlé de lui, – cela a été sans moi.

Tu as eu, l'an dernier, un ami qui m'a rappelé Nicolas, un nommé Ferdinand dont le père, m'as-tu dit, était charcutier, ce qui a fait sursauter ta mère. Il est venu te voir deux ou trois fois. Vous avez dû sortir ensemble puis, comme il en a été pour tant d'autres, tu ne nous en as plus parlé.

Mon père avait-il une raison de s'alarmer ? Nicolas était-il, pour moi, ce qu'on appelle un mauvais compagnon ?

Mon père en savait, sur mes faits et gestes, plus long que je n'en sais sur les tiens, encore que je ne te reproche pas de manquer de franchise.

Remarque qu'il m'impressionnait plus que je ne t'impressionne et, si je le plaignais de devoir prendre certaines attitudes ou accomplir certaines démarches, je ne lui en voulais pas. Je le plaignais, au contraire, persuadé que cela lui était aussi pénible que ce l'eût été pour moi.

Je le plaignais aussi, lorsque ses fonctions lui laissaient un moment de répit, de ne trouver que les yeux fixes de ma mère et je l'admirais pour la patience dont il faisait preuve à son égard.

J'étais sûr qu'ils ne vivaient plus, depuis l'accident de ma mère, comme mari et femme, car cela paraissait inimaginable, presque monstrueux, et j'en arrivais à souhaiter que mon père, encore bel homme, ait une maîtresse.

En avait-il? Si oui, je n'en ai pas entendu parler, alors pourtant que, dans notre ville, il ne pouvait faire un pas sans être reconnu.

Une fois par mois, il se rendait à Paris pour prendre contact avec le ministère de l'Intérieur et avec d'autres bureaux, et il y restait d'habitude deux ou trois jours.

Avait-il, là-bas, une liaison, ou se contentait-il de passades?

Bien entendu, je ne lui ai jamais posé la question, encore que je sois maintenant certain qu'il m'aurait répondu franchement et sans aucune gêne, comme je le ferais si tu m'interrogeais.

Nous avions nos instants d'intimité, presque chaque soir, brefs et furtifs, à la façon de mes visites dans ta chambre, à la différence que j'étais le visiteur.

L'appartement, à la préfecture, était immense et ma sœur, avant et après son mariage, en a occupé le fond, au-dessus de la seconde cour, tandis que j'avais ma chambre à l'étage inférieur. Il n'existait pas de petite salle à manger familiale, seulement une salle à manger d'apparat, à côté du salon à colonnes où se donnaient les réceptions et les bals.

Lorsque nous mangions en famille, ce qui arrivait deux ou trois fois la semaine, nous étions cinq autour d'une table qui, sans les rallonges, était prévue pour douze couverts, de sorte qu'entre nous : ma mère, mon père, ma sœur, son mari et moi, on voyait d'immenses vides et que Valentin, le maître d'hôtel, avait l'air de courir pour aller de l'un à l'autre.

Cette salle à manger-là est le plus gris de mes souvenirs, peut-être parce que, le soir, on n'allumait pas le lustre monumental, qui comportait une cinquantaine de lampes en forme de bougies, mais des candélabres électriques placés aux deux bouts de la table.

Les murs restaient dans la pénombre et j'avais devant moi, au-delà de la tête de ma sœur, une tapisserie aux couleurs passées où l'on distinguait vaguement des cerfs, des biches et un ruisseau.

Sur le mur de droite était accroché un tableau du début du siècle dernier représentant une gardienne d'oies et je revois encore l'oie du premier plan, plus grosse que les autres, dont le blanc crayeux se détachait sur le bitume de l'ensemble et qui me faisait penser à une volaille déjà cuite.

Chez nous aussi, avenue Mac-Mahon, quelqu'un nous sert à table. Au moins, entre deux services, sommes-nous seuls et pouvons-nous parler à notre guise.

Je n'ai jamais connu cette liberté-là pendant mon enfance et, invariablement, j'ai eu conscience, derrière nous, de la silhouette noire et blanche, du visage impassible d'un maître d'hôtel dont les mains gantées de fil nous tendaient les plats.

Cela a paru curieux – peut-être prétentieux – à certains de tes amis, à qui il est arrivé de manger chez nous, de me voir avancer sa chaise à ta mère avant d'aller prendre ma place, en quoi je ne fais qu'imiter mon père, pour qui c'était un rite.

Ma mère s'asseyait sans remercier d'un battement de cils, sans un sourire, en monarque acceptant l'hommage d'un sujet, et elle mangeait en silence, étrangère à la conversation.

Le plus souvent, Vachet et ma sœur en faisaient les frais ; parfois, lorsque ton oncle s'emballait, ou se montrait particulièrement agressif ou caustique, mon père m'adressait un discret coup d'œil ou, encore, attendait un silence pour me demander :

— Et toi, fils, qu'est-ce que tu as fait aujourd'hui ?

Je ne sais pas comment exprimer l'espèce de complicité qui existait entre nous. Parfois, j'ai l'impression qu'elle existe aussi entre toi et moi, mais je n'en suis pas sûr et je crains de prendre mon désir pour la réalité.

Chez nous, c'est ta mère qui parle, sans que nous ayons besoin de lui donner la réplique ; chez moi, c'était ta tante et ton oncle, et je soupçonne qu'il leur est arrivé de parler avec la seule intention de nous choquer, mon père et moi.

Qu'il s'agît d'art, de littérature, de philosophie ou de musique, de mœurs ou d'ameublement, voire de droit ou d'administration, Vachet avait des opinions tranchées, presque toujours opposées à celles de mon père, et il semblait se soulager en les émettant sur un ton de défi.

Je ne prétends pas qu'il ait épousé Arlette par calcul ; j'ignore même où ils ont tous les deux fait connaissance car, en général, nous n'avions pas de contact avec le personnel de la préfecture, en dehors d'Armand Tournaire, le solennel M. Tournaire, directeur du cabinet, et d'Hector Loiseau, secrétaire général, parfois aussi avec la secrétaire particulière de mon père, Mlle Bonhomme.

C'est en ville qu'ils ont dû se rencontrer, comme c'est en ville que je devais faire la connaissance de la jeune fille dont je te parlerai bientôt.

Vachet avait déjà parcouru plus de chemin que bien des jeunes gens de son âge et de sa condition, mais il savait, lui, qu'il entendait aller beaucoup plus loin.

Mon père a-t-il senti son ambition et lui a-t-il fait confiance ? A-t-il simplement obéi, en accordant son consentement, à son principe de ne pas intervenir dans la vie d'autrui, fût-ce de ses enfants ?

J'ai toujours pensé qu'en cherchant bien le jeune ménage aurait trouvé un logement indépendant, mais cela donnait du prestige à Vachet d'appartenir à la famille du préfet, de partager sa vie, et, en outre, c'était pratique pour lui à tous les points de vue.

Si mes parents avaient peu de fortune, la situation de mon père ouvrait beaucoup de portes à un jeune garçon ambitieux qui, sans cela, risquait de piétiner longtemps.

J'avais ton âge, à peu près, quand j'ai assisté jour par jour au détachement d'un membre de la famille, et j'en ai été assez impressionné.

Jusqu'alors, Arlette était, pour nous tous, une Lefrançois, et je soupçonne ses rapports avec mon père d'avoir été plus intimes et plus confiants que les miens ; je surprenais entre eux des regards, des sourires, des allusions qui me laissaient croire qu'ils avaient ensemble de longues conversations.

Or, à peine Vachet nous avait-il été présenté comme fiancé, le langage et les goûts de ma sœur changeaient du tout au tout et elle adoptait une nouvelle coiffure. Ce qui m'a le plus surpris, étant donné mes idées sur l'amour, c'est l'attitude de Vachet à son égard.

Il ne lui faisait pas la cour. C'était elle qui, si orgueilleuse quelques semaines avant, se montrait humble avec lui, allant au-devant de ses désirs et se laissant rabrouer sans protester.

Après avoir publié quelques poèmes dans des revues, il avait entrepris d'écrire un roman et, chaque soir, Arlette en tapait des pages.

A-t-elle encore ses opinions de ce temps-là ?

— *La femme ne doit qu'être un reflet de son mari et sacrifier sa personnalité à la sienne.*

Mon père ne disait rien, fronçait parfois les sourcils, finissait par sourire en observant Vachet qui considérait comme un dû les attentions dont sa femme l'entourait.

Ses collègues de la préfecture l'enviaient d'avoir épousé la fille du patron et il se vengeait sur nous de ce qui était sûrement pour lui une humiliation.

Par exemple, il arrivait presque toujours le dernier à table, nous obligeant ainsi à attendre, et, le soir, il apparaissait au dîner en veston d'intérieur, sans cravate, chaussé de pantoufles.

— Une demi-heure de plus et j'aurais eu terminé mon chapitre, soupirait-il à l'adresse de ma sœur.

Ce qui laissait entendre que l'horaire rigide de la maison lui était une gêne et un handicap.

Certes, nous nous rendons mal compte des changements qui surviennent chez les gens qui vieillissent en même temps que nous. De tous ceux qu'il m'a été donné de connaître jeunes, pourtant, et de connaître encore à l'âge mûr, Vachet est resté le plus semblable à lui-même.

Il ne s'est ni empâté ni voûté, et son visage aux traits aigus a gardé son expression insolente. Il me fait penser à un loup maigre, toujours en éveil, prêt à attaquer et à mordre.

Ses romans, que je n'aime pas, tout en leur reconnaissant certaines qualités, reflètent cette agressivité, ce besoin de je ne sais quelle vengeance, de compte à régler avec la vie et les hommes, mais c'est par ses chroniques « écrites à l'acide » qu'il s'est fait redouter et respecter.

Je ne lui en veux plus, si je lui en ai voulu, de la place qu'il a prise chez nous, de sa place à table, de l'élément étranger, hostile, qu'il apportait et qui m'empêchait de parler tranquillement à mon père.

Le dîner fini, souvent sans prendre le temps de manger son dessert, Vachet retournait travailler et ma sœur le suivait de près, ma mère se couchait de bonne heure, mon père, enfin, quittait notre appartement pour passer dans la partie officielle des bâtiments où se trouvait son cabinet.

Pour tout le monde – il en est maintenant de même avec moi – il travaillait, et cela lui arrivait, en effet, d'étudier des dossiers auxquels, dans la bousculade de ses journées interrompues de visites et de coups de téléphone, il ne pouvait accorder toute son attention.

J'ai découvert cependant qu'à cette heure-là, au fond des couloirs aux bureaux déserts, à l'abri de la double porte matelassée, le cabinet de mon père devenait son capharnaüm, son refuge, où il se détendait enfin et menait sa vie personnelle.

L'hiver, il entretenait un feu de bois dans la cheminée et, l'été, les fenêtres étaient ouvertes sur la seconde cour qu'un mur séparait du parc de la ville.

Mon père lisait ; c'était encore un homme qui lisait le crayon à la main, soulignant des passages, inscrivant, d'une écriture minuscule, mais étonnamment nette, des notes en marge.

C'est une des raisons pour lesquelles je me suis obstiné à avoir ces livres-là et à ne pas les laisser à ton oncle.

Mes études finies, j'allais lui dire bonsoir et, bien qu'il ne se passât rien, ou presque, entre nous, c'était le meilleur moment de ma journée. La première porte franchie, celle qui était rembourrée et tendue de moleskine verte, je frappais légèrement à la seconde que j'ouvrais sans attendre de réponse. C'était l'heure où mon père fumait un cigare et l'odeur de cigare m'est comme restée dans les narines ; je revois, autour de la lampe, la fumée d'un bleu délicat s'étirer en formes mystérieuses.

Me tournant le dos, il murmurait :

— C'est toi, fils ?

Il finissait le passage de son livre ; je m'avançais vers la cheminée, l'été vers la fenêtre, sans rien dire, sans rien faire.

Lorsqu'il levait enfin la tête, il questionnait :

— Alors ?

Je sais, à présent que je suis père, qu'il était aussi embarrassé que moi.

— Bien travaillé ?

— Pas mal.

— Content ?

Souvent, nous en restions là, lui son livre ouvert sur les genoux, moi debout, jusqu'à ce que j'effleure son front de mes lèvres avant d'aller me coucher. D'autres fois, nous commentions assez brièvement un événement de la journée.

Il ne m'a jamais poussé aux confidences et ne m'en a jamais fait.

Un soir, pourtant, quand j'avais treize ans, il a prononcé, après un silence assez long :

— Tu sais, Alain, il ne faut pas en vouloir à ta mère ; il ne faudra jamais lui en vouloir.

— Je ne lui en veux pas, père. Ce n'est pas sa faute.

Il m'a interrompu avec une pointe d'impatience :

— Ta mère, fils, a un courage extraordinaire. *Crois-moi !*

Il ne s'est pas expliqué davantage. L'ai-je bien compris? Ma mère prouvait son courage en restant là, en se montrant à table, en nous supportant, nous et les convives que les fonctions de mon père nous imposaient, au lieu de se laisser glisser vers l'anéantissement total.

— *Ta mère a tout perdu.*

Voulait-il dire qu'elle avait perdu ce qui la faisait elle-même?

Il est des questions auxquelles il vaut mieux ne pas essayer de répondre. À quoi bon, d'ailleurs, puisque mon père, le premier intéressé, y avait répondu à sa façon?

Après ma visite, en compagnie de Nicolas, dans le quartier des casernes, je suis resté un certain temps, sinon à me sentir coupable, tout au moins à éprouver le désir de m'en laver en en parlant à mon père. Je trouve, dans mon besoin de confession, une raison secondaire plus triviale : la peur de certaines maladies sur lesquelles Nicolas n'était guère plus renseigné que moi.

J'ai ramassé mon courage, un soir, et, très rouge, les tempes battantes, j'ai balbutié en fixant les bûches qui me brûlaient les yeux :

— Il faut que je te dise... Je suis allé avec un ami rue des Saules...

Je n'avais pas besoin de préciser, car la rue des Saules était connue par ses lanternes rouges qui portaient de gros numéros.

Je revois mon père, surpris, puis souriant, aussi embarrassé que moi.

— Alors ?

— Rien. Je tenais à ce que tu le saches.

— Satisfait ?

J'ai dit non de la tête, avec l'envie de pleurer.

— Il ne faut surtout pas que tu prennes ce souvenir au tragique. Tu auras des expériences moins décevantes et, plus tard…

— Tu crois que je peux avoir attrapé une maladie ?

En sortant de son bureau, je me sentais un homme, car il m'avait parlé franchement, simplement, comme à un camarade.

Auras-tu le courage, un de ces soirs, de venir me faire les mêmes aveux ? Ou bien, à mon insu, cette étape-là est-elle franchie depuis longtemps ?

Une autre fois que j'allais ainsi lui dire bonsoir, mon père m'a montré une phrase, dans le livre qu'il était occupé à lire : « *Ce n'est que quand ils n'ont plus besoin de lui que les fils comprennent que leur père est leur meilleur ami.* »

Je n'ai jamais su quel était ce livre et je n'ai pas demandé le nom de l'auteur, car cela aurait affaibli le message que mon père me transmettait de la sorte. Qui sait s'il ne tenait pas le livre prêt à cette page-là pour le moment où j'entrerais chez lui ?

C'est exact que je ne mesurais pas le rôle qu'il jouait dans ma vie, qu'il continuerait à y jouer et que, mort, il y joue encore aujourd'hui.

Je sais, à présent, ce que signifiaient ses brefs regards en coup de sonde et ses imperceptibles froncements de sourcils quand il sentait en moi quelque chose qui lui échappait.

A-t-il deviné que j'avais tendance à donner raison à Porel contre lui et qu'il m'arrivait d'envier l'existence modeste et feutrée de Nicolas et de sa mère ?

Il arrivait à des invités de me demander, comme nos amis te le demandent :

— Que comptez-vous faire plus tard ? Être préfet, comme votre père ?

Très jeune, je répondais : « Non », sans savoir pourquoi, avec, paraît-il, une énergie qui faisait sourire.

— Médecin, avocat, explorateur ?

Je me renfrognais et j'avais honte de ne pouvoir fournir aucune réponse ; c'était mon père qui s'arrangeait pour me tirer d'embarras en détournant la conversation.

La plupart de mes camarades avaient une idée de la profession qu'ils choisiraient et certains n'ont pas changé d'avis et ont réalisé leurs rêves de jeunesse.

La question me faisait peur. Je me sentais coupable d'ignorer la place que j'occuperais, comme si je me refusais ainsi à accomplir mon devoir social ce qui, dans mon esprit, n'était pas très différent d'échapper par ruse au service militaire ou d'y être reconnu inapte.

Je m'efforçais de me voir en pensée dans tel ou tel rôle, sans y parvenir, et je n'étais pas loin d'en conclure que j'étais un être à part, inutilisable par la société.

Je refusais d'être un patron, sans me sentir le courage d'être un ouvrier, ni un des employés qui remplissaient les cases de la préfecture.

Je ne voulais pas commander et décider du sort de mes semblables ; en même temps, j'étais rebelle à l'obéissance.

Nicolas m'avait presque donné l'envie de faire ma médecine, ne fût-ce que pour ne pas nous quitter à la sortie du lycée. Hélas! le sang me faisait peur et j'étais impressionné par le seul mot de maladie.

Vers les quatorze ou quinze ans, j'ai répondu à un député qui me questionnait :

— Je crois que je ferai mon droit.

J'ai dit cela sans raison, sans réfléchir, et mon père, qui était présent, à tressailli, puis a eu un involontaire sourire. Cela lui était-il agréable que, tout au moins au départ, je marche sur ses traces? Je l'ai cru et, dès lors, j'ai répété avec plus d'assurance :

— Je ferai mon droit.

Je pressentais que je ne plaiderais jamais et que je serais encore moins tenté par la politique. En y réfléchissant avec le recul, je conclurais volontiers que ma décision était une sorte de renoncement, ou de lâcheté. Je ne cherchais plus ma voie, je ne me tracassais plus, je ne m'acharnais pas à trouver mon propre destin, mais je prenais celui qui m'était naturellement tracé.

Mon père, mes deux grands-pères avaient été des serviteurs de l'État et il en serait de même pour moi.

On verrait bien, plus tard, et, en attendant, j'étais soulagé de n'avoir plus à m'interroger, non sans que, cependant, cela m'humiliât dans mon for intérieur...

J'ignore où tu en es de ton côté, à ce point de vue, et c'est pourquoi j'évite de te questionner.

J'ai passé mon bac en même temps que Nicolas, en 1926, quelques mois après le mariage de ma sœur, et je suis surpris, aujourd'hui, de voir tant d'années se réduire à quelques pages. Je m'efforce pourtant de tout dire ; il me semble même parfois que j'en rajoute, car il me revient des détails qui ne m'ont pas frappé au moment où je les vivais.

J'ai reçu en cadeau une motocyclette, dont j'avais envie depuis longtemps, bien qu'elle me fît peur. J'ai toujours eu peur de la brutalité, de la douleur, de la maladie, et cette moto, justement, une grosse machine jaune, trépidante, pétaradante, était pour moi une sorte de défi. Je crânais. Je faisais le brave.

En octobre, j'entrais à la Faculté de Droit, à Poitiers, où mon père m'avait loué une chambre meublée, chez des particuliers, derrière l'hôtel de ville, M. et Mme Blancpain, qui occupaient une petite maison proprette dans le genre des maisons de Fétilly, où je retrouvais les odeurs de la cuisine des Nicolas.

Je revois mon père, qui ne m'a jamais paru aussi élégant et racé, debout dans ma chambre du premier étage, après que la logeuse nous eut discrètement laissés seuls, les murs tendus d'un papier jaune à fleurs roses, le lit en noyer couvert d'une courtepointe avec un gros édredon et, devant la cheminée, un petit poêle où des charbons rougeoyaient derrière les micas.

Mon père a ouvert la fenêtre, a regardé à gauche et à droite au moment où une marchande de légumes arrêtait sa charrette devant la porte. Le ciel, à dix heures du matin, était d'un gris uni et doux ; tout était gris ce jour-là, mélancolique.

— Alors, fils ?

171

J'ai dû vaguement lui sourire.

Il a ouvert machinalement les tiroirs de la commode, les deux portes de l'armoire à glace où des cintres attendaient mes vêtements.

— Il faut que je retourne à La Rochelle.

— Je sais.

Nous restions debout, très gauches, l'un devant l'autre.

Mon père s'est arraché le premier à son immobilité et a prononcé, comme si cela voulait tout dire :

— Et voilà !

Puis, à la porte, il a questionné :

— Tu viens samedi ?

— Je crois… sûrement… à moins…

— Au revoir, fils.

J'étais censé commencer ma vie d'homme.

7

J'aurais pu croire que les fils étaient coupés avec La Rochelle et que le centre de ma vie, pour quelques années, allait être Poitiers, son décor, ma chambre chez les Blancpain, avec son papier à fleurs roses et l'édredon mou que je retrouvais chaque matin sur le plancher, la cuisine à porte vitrée, au fond du corridor du rez-de-chaussée, où je descendais prendre mon café du matin, et il ne me faut guère d'effort pour revoir, vers dix heures, la marchande de légumes s'arrêter de porte en porte ; je peux reconstituer aussi des itinéraires à travers les salles et les couloirs de l'université, retrouver l'atmosphère particulière de la brasserie où les étudiants se réunissaient.

Tout cela ne m'en reste pas moins étranger, sans vie, sans odeur, sans frémissement.

Je n'étais pourtant pas sorti de l'âge où la vie laisse une saveur sur la langue et sur la peau et où, entre nous et le monde extérieur, s'établissent de mystérieux contacts, souvent voluptueux.

Est-ce que je me trompe, ou bien ces mots que je viens d'écrire éveillent-ils en toi une résonance ? Je n'ai jamais osé poser la question à des gens de mon âge, pas même à ta mère, et toutes les grandes personnes doivent être dans mon cas. On a honte d'aborder certains sujets comme on a honte, par exemple, quand, en rêve, on se trouve en chemise dans la rue.

Je ne pense pas être une exception. Comme tout le monde, j'ai vécu des années pendant lesquelles la vie entrait en moi et ressortait en un flux et un reflux harmonieux, y laissant des traces indélébiles comme la marée laisse sur la plage une frange de varech et la forte odeur de la mer.

Un moment vient où le monde n'a plus d'odeur, où les paysages, les objets cessent de vivre d'une vie personnelle pour n'être plus que des choses inanimées.

Malgré leur précision, mes souvenirs de Poitiers sont des souvenirs théoriques, non parce que j'avais déjà perdu ce que j'avais envie d'appeler l'état de grâce, mais parce que, contre toute attente, La Rochelle allait être, pour deux ans encore, plus que jamais, le centre de mon existence, à tel point que, si je regarde ma vie entière à vol d'oiseau, elle en reste encore le centre géographique.

C'est là que mon sort allait se jouer et, avec le mien, celui de ma famille.

J'avais dix-huit ans ; j'étais un garçon bien bâti, vigoureux, qui n'avait pas mauvaise figure sur sa grosse moto neuve. Je venais de passer de l'état de lycéen à celui d'étudiant et j'occupais une chambre en ville, j'étais libre, observant sans trop m'effrayer un monde dans lequel je ne faisais que pénétrer.

Le samedi soir, puis les samedis suivants, sauf le troisième, j'allai à La Rochelle où je retrouvai ma chambre qui me paraissait avoir déjà changé, la salle à manger mal éclairée, le regard immobile de ma mère et la voix agressive de Vachet.

Je n'avais reçu que deux cartes de Nicolas m'annonçant que tout allait bien à Bordeaux et que « les profs étaient sympathiques », ajoutant qu'il aurait « des tas de choses à me raconter aux vacances de Noël ».

Je suis surpris, soudain, de constater que c'est au moment où les événements deviennent le plus importants que la mémoire me fait défaut. Plus exactement, il m'est difficile de rétablir les faits dans leur ordre chronologique. Ce que je retrouve, ce sont des images, aussi nettes que si elles étaient gravées au burin, mais sans qu'il me soit possible de les rattacher les unes aux autres avec certitude.

Par exemple, le premier dimanche, je me revois place d'Armes, à La Rochelle, fumant une cigarette sur le trottoir pendant l'entracte du cinéma Olympia, et un camarade de lycée, qui était avec sa petite amie, m'a adressé un clin d'œil en passant. Il faisait gris et froid. A la préfecture, ma sœur et mon beau-frère recevaient des amis personnels et, en rentrant, je les ai entendus discuter dans le salon où ils s'étaient installés.

Un autre cinéma, à Poitiers, le troisième dimanche. J'étais resté là-bas parce qu'il tombait, depuis la veille au soir, une pluie glacée et que les routes étaient couvertes de verglas. Je suis allé à la brasserie, ensuite. Je suis resté seul à une table à boire de la bière et à regarder des étudiants de troisième année jouer au billard.

Ces sortes d'images-là, je pourrais en déployer comme un jeu de cartes, y compris celle du soir de Noël, dans un café de La Rochelle, en compagnie de Nicolas. Nous avons beaucoup bu, ce qui m'arrivait pour la première fois, et mon camarade était surexcité.

— Il y a des femmes, là-bas ? m'avait-il demandé, comme triomphant, me parlant de Poitiers.

Je n'en savais encore rien. Je ne m'en étais pas préoccupé. J'avais seulement remarqué, à la brasserie que je fréquentais, une femme assez jeune, toujours assise seule près de la fenêtre, avec l'air d'attendre quelqu'un.

— À Bordeaux, mon vieux, c'en est plein !

Lancé sur ce sujet, il m'en parlait encore à une heure du matin, devant le portail de la préfecture, où il m'avait reconduit.

— Il faudra que nous en trouvions ici pour nos vacances. Maintenant, je sais comment on s'y prend !

Un sapin monumental se dressait dans le salon, mais ce n'était pas pour nous, c'était l'arbre officiel autour duquel, l'après-midi, les enfants des employés et les employés eux-mêmes étaient venus chercher leur cadeau. Ma sœur et Vachet réveillonnaient en ville. Ma mère dormait et j'ai trouvé mon père lisant dans le calme sirupeux de son bureau où il y avait plus de fumée de cigare que d'habitude.

— Joyeux Noël, père !

— Joyeux Noël, fils !

Il a dû sentir que j'avais bu. Je me rendais compte que j'avais les yeux brillants et la démarche trop désinvolte.

— Bien amusé ?

— On a passé la soirée à bavarder, au Café de la Paix, Nicolas et moi.

Il connaissait vaguement Nicolas, pour l'avoir rencontré quand celui-ci venait me voir.

— Maman va bien ?

— Oui. Elle s'est mise au lit de bonne heure, comme d'habitude. Je vais bientôt en faire autant.

Sans doute désirait-il finir son chapitre, ou le livre.

— Bonne nuit !

— Bonne nuit.

Le lendemain matin, je me réveillai fiévreux, courbatu, la bouche pâteuse et les jambes molles, avec un rhume de cerveau qui, en quelques heures, me rougit les narines, peut-être un commencement de grippe, et, à coup sûr, les effets de l'alcool auquel je n'étais pas habitué.

J'ai passé trois jours à me traîner, en pyjama, du lit à mon fauteuil, tantôt essayant de lire, tantôt regardant par la fenêtre, et la cigarette avait mauvais goût.

Nous avions, cette année-là, un Noël blanc, mais pas du blanc joyeux et exaltant de la neige. Il gelait. Très tôt matin, alors que des fidèles se rendaient aux premières messes et que des gens qui avaient réveillonné tard rentraient chez eux, il était tombé une poussière de glace dont il subsistait des traces entre les pavés. On continuait, à dix heures du matin, à deviner dans l'air de cette poussière-là, mais si fine qu'elle était devenue presque immatérielle. Le ciel, les pierres des maisons, les trottoirs étaient d'un blanc méchant de lame de couteau.

Béatrice, notre cuisinière d'alors, m'a apporté mon petit déjeuner, auquel je n'ai pas touché, puis mon père est venu me voir, en robe de chambre.

— Cela ne va pas ?

— Je pense que je commence la grippe.

Il a passé une dizaine de minutes avec moi, dérouté par cette journée de Noël comme il l'était par toutes les fêtes qui créaient le vide dans les vastes bâtiments.

Je n'ai eu aucune prémonition. Alors que, le premier jour de Poitiers, j'avais été ému à l'idée qu'une nouvelle existence commençait pour moi, – idée qui devait se révéler fausse, – je n'ai pas pensé un instant que les journées que je passais, calfeutré dans ma chambre, à suivre parfois des yeux les silhouettes sombres sur le trottoir d'en face, marquaient la fin d'une partie de ma vie, la fin d'un certain moi.

Ma sœur et son mari ne se sont levés que vers midi. Après le déjeuner, ils sont passés chez moi, peu intéressés par une indisposition si bénigne, et Vachet, qui a une peur maladive des microbes, est resté près de la porte entrouverte.

178

Nicolas ne m'a pas téléphoné ce jour-là, ni le lendemain. Nous n'avions pas rendez-vous à proprement parler, mais il était convenu que nous passerions ensemble le plus clair de nos vacances, de sorte que j'en conçus une certaine amertume.

Pourquoi me suis-je senti seul et désemparé? Autour de moi, l'appartement était silencieux et, à tous les étages, dans toutes les ailes de la préfecture, les bureaux restaient vides, les couloirs et les escaliers déserts.

Dehors, il passait moins d'autos que les autres jours et les passants, mains dans les poches, col du pardessus relevé, marchaient vite, précédés de la buée de leur respiration.

Je revois une famille, dans le courant de l'après-midi, qui devait aller visiter un grand-père ou une grand-mère. Ils étaient cinq, dont trois enfants, tous endimanchés, et un garçonnet de quatre ou cinq ans, qui portait une écharpe rouge autour du cou et un bonnet de tricot rouge, se laissait traîner de mauvaise grâce.

Les parents étaient pressés, nerveux, probablement excédés par une matinée tumultueuse, puis par la tâche d'habiller tout le monde. Je voyais les bouches s'ouvrir, mais, à travers la vitre, je n'entendais pas les mots prononcés et, soudain, la mère s'est retournée sur l'enfant à écharpe rouge qui, refusant d'avancer, se laissait glisser à terre.

Sans doute lui ordonnait-elle de se relever, le menaçant de lui reprendre ses jouets ou d'une autre punition.

En désespoir de cause, elle s'est adressée à son mari avec la même véhémence pour lui reprocher de ne pas intervenir, de n'avoir aucune autorité sur ses enfants, que sais-je ?

Il portait un pardessus noir étriqué, qui sentait la confection, et il écoutait, mal à l'aise, hésitant, jusqu'au moment où il a saisi son fils par la main, l'a mis debout d'une secousse et, d'un mouvement inattendu, brutal, qui a dû le surprendre le premier, lui a lancé une gifle.

De ma chambre, j'ai tressailli au choc et c'est à croire qu'un contact s'est établi entre cet homme et moi : levant la tête, il m'a aperçu à la fenêtre et je ne me souviens pas d'avoir lu autant de honte sur un visage.

Nicolas ne m'a pas téléphoné. Le quatrième jour seulement, on a frappé à ma porte, j'ai crié : « Entrez », et je l'ai vu pénétrer dans la chambre où il apportait, avec le froid resté dans les plis de ses vêtements, de la vie du dehors.

— On m'annonce que tu es malade. Ce n'est pas grave, au moins ?

Il n'attendait pas ma réponse, trop pris par les nouvelles qu'il m'apportait, par la transformation qui, commencée à Bordeaux, s'accélérait en lui.

— J'ai des tas de nouvelles, mon vieux, des bonnes, des épatantes. Tu te souviens de ce que je t'ai dit la veille de Noël ?

Son teint était animé par l'air vif de la rue et il ne se décidait pas à s'asseoir, s'impatientait de me trouver dans un fauteuil, les jambes emmitouflées d'une couverture, comme un vrai malade, avec un pot de limonade à côté de moi.

— J'ai trouvé des femmes ! Je me doutais que cela n'existait pas qu'à Bordeaux. Quand nous étions à Fénelon, nous ne savions pas nous y prendre, voilà tout. Elles nous prenaient encore pour des gosses, tu comprends ?

Il se sentait un homme, tout à coup, un vrai, et il exultait d'orgueil et d'allégresse.

— Je peux fumer ?

— Bien sûr.

— Tu ne fumes pas ?

— Je n'en ai pas envie.

— Écoute ce que je vais te dire : non seulement j'en ai une pour moi, une blonde tout ce qu'il y a de gentille et de rigolote, mais sa copine, à qui j'ai déjà parlé de toi, ne demande qu'à faire ta connaissance.

J'ai rarement assisté à un épanouissement comme le sien. Je l'avais toujours connu gai, sans complexes, comme on dit aujourd'hui, mais ce qui lui arrivait n'en était pas moins une sorte d'éclatement semblable à celui d'un bourgeon.

Ce n'était pas par envie que je l'écoutais et l'observais d'un air maussade. Je n'étais pas encore dans le coup. J'avais passé dans ma chambre, et en grande partie dans mon lit, les journées de transformation qu'il venait de vivre et sa pétulance me choquait. J'étais humilié, en outre, par la façon si simple dont il venait m'offrir une amie.

— Vois-tu, elles sont toujours ensemble. Autrement, les parents ne les laisseraient pas sortir, car ce ne sont pas des grues, mais des filles bien. La tienne est une petite brune avec de grands yeux bleus.

Il s'était enfin assis à califourchon sur une chaise, les bras croisés sur le dossier, clignant des yeux lorsque la fumée de sa cigarette les faisait picoter.

— La mienne s'appelle Charlotte. Elle préfère qu'on dise Lotte. Elle travaille au salon de coiffure de la place d'Armes et n'a que dix-huit ans. Mais si tu voyais comme elle est formée…

Il souriait à ses souvenirs, s'en délectait, anxieux de me faire partager sa fierté et sa joie.

— Je m'excuse d'avoir choisi le premier, mais tu n'étais pas là et, d'ailleurs, je ne crois pas que Lotte soit ton type. Elle rit tout le temps, s'esclaffe pour un oui ou un non, et, au cinéma, elle riait si fort, de si bon cœur, que des gens faisaient : « Chut ! » d'un air scandalisé.

Il s'efforçait toujours de me « mettre dans le coup ».

— Avec elle, c'est pratique, et le hasard a voulu que je tombe au bon moment. Son père est chef de train, sa mère infirmière à l'hôpital. Je parie que tu ne vois pas ce que cela signifie ?

Il devenait narquois, presque agressif, me regardait d'un air protecteur, comme quelqu'un qui n'a pas franchi le pas, qui n'est pas initié.

— Trois fois par semaine, son père est absent, la nuit, et, de son côté, sa mère est de garde la nuit, une semaine sur deux. Comme Lotte n'a ni frère ni sœur, tu comprends ce que cela signifie ? Elle reste seule chez elle, mon vieux, et peut faire ce qui lui plaît. Tel que tu me vois, j'étais dans son lit à une heure du matin et, si cela n'avait été pour ma mère, je n'en serais pas sorti avant le jour. Cela s'est fait du premier coup et j'ai bien regretté, comme elle, que tu ne sois pas avec nous, car la seule personne qui nous gêne est sa copine. Lorsque celle-ci aura un ami, elle aussi, ce ne sera plus la même chose.

Il a tant parlé, cet après-midi-là, que j'en avais mal à la tête. Les phrases coulaient comme un trop-plein et Nicolas montrait d'autant plus d'enthousiasme qu'il me sentait plus froid, cherchant à m'embaucher coûte que coûte.

— Cela nous fera de la distraction jusqu'au 3 janvier et, chaque fois que nous reviendrons à La Rochelle, nous serons sûrs de les retrouver.

Ce n'est que beaucoup plus tard, dans la conversation, que je l'ai entendu prononcer le nom de Maud.

— Au fait, il est probable que tu la connais. Elle, en tout cas, te connaît bien et je me demande si elle n'a pas le béguin pour toi. Elle travaille à la préfecture, dans je ne sais plus quel bureau, au second étage, c'est tout ce dont je me souviens, et elle te voit souvent passer ; elle se rappelle même le jour où tu as essayé ta moto dans la cour.

Nicolas les avait rencontrées au cinéma Olympia l'après-midi de Noël. Il était assis derrière elles quand Charlotte avait ri si fort et, à l'entracte, tandis que les spectateurs faisaient les cent pas sur le trottoir en fumant une cigarette, il avait rôdé autour d'elles sans oser leur adresser la parole.

Cela m'est pénible de te raconter ces détails, car il faut les yeux de la jeunesse pour que cela ne devienne pas d'une banalité écœurante. Même avec mes dix-huit ans, j'avais de la peine à comprendre la joie de Nicolas, pour qui l'événement prenait les proportions d'une grisante découverte.

— Quand le spectacle s'est terminé, il faisait nuit. Elles marchaient bras dessus, bras dessous et Charlotte continuait à rire, car elle savait que je les suivais. Elle savait qui j'étais, elle aussi, car elle connaît le magasin de ma mère. C'est rigolo d'apprendre ainsi que les filles nous observent et que, ne nous en rendant pas compte, nous osions à peine les regarder ? Tu ne trouves pas ? Après qu'elles eurent dépassé la Grosse Horloge, je me suis approché, leur ai adressé la parole et, au début, elles faisaient mine de ne pas s'en apercevoir.

Ce jour-là, le 25 décembre, il s'est contenté de marcher à leur côté autour du port et il les a quittées à la porte de Charlotte.

Il existe, à La Rochelle, un quai paisible, le long du canal de Marans, qui rappelle les quais qu'on voit sur les vieilles estampes représentant les villes de jadis, où il nous semble que la vie était meilleure, et où il y avait, devant chez un tonnelier ou un négociant en vins, des barriques alignées au bord de l'eau.

Les parents de Charlotte habitaient tout près, dans une rue dont j'ai oublié le nom, une rue calme aussi, sans prétention d'aboutir quelque part, d'être un passage d'un endroit à un autre, et qui ne devait son existence qu'au fait qu'on y avait bâti des maisons face à face.

La maison des Malterre – les parents de Charlotte s'appelaient ainsi – était blanche, avec des fenêtres de guingois, mais une porte toute neuve, en chêne verni, dont les deux vitres vertes étaient protégées par des volutes de fer forgé.

Ces portes-là, comme une certaine façon d'arranger les rideaux de fenêtre, comme certaines plantes vertes qu'on y pose, dans de gros cache-pots de cuivre, pour être vus de l'extérieur, constituent des totems. Les autres portes de la rue, peintes en vert, en jaune, en blanc, dataient pour la plupart de la construction de l'immeuble auquel elles appartenaient et s'harmonisaient avec lui.

Pour les Malterre, la porte de chêne, avec ses ornements, était un signe, celui d'une certaine bourgeoisie, d'une certaine stabilité, et ils y avaient pensé avant de penser à faire installer une salle de bains, parce qu'elle consacrait leur situation aux yeux des passants.

Ce sont ces petits ridicules-là qui hérissent tous ceux qui en ont souffert parce qu'ils sont sortis de ce milieu, comme ton oncle Vachet, et qui ne voient pas ce que cette soif de respectabilité a de touchant.

Cette maison, qui allait jouer un rôle important dans ma vie, j'ai failli ne pas la connaître, car je restais réfractaire à l'enthousiasme de Nicolas et, plus il parlait, plus je me repliais. Je n'étais pas jaloux de sa bonne fortune, mais je m'irritais de sa façon d'étaler son triomphe, de cette sorte de générosité qu'il apportait à me le faire partager, disposant de ma personne.

— Je suis sûr que Maud te plaira, car c'est une jeune fille fine et délicate.

Pourquoi une jeune fille « fine et délicate » devait-elle me plaire ?

— Tu auras probablement plus de mal que j'en ai eu avec Lotte, – je parle de ce que tu devines, – d'abord parce que Maud n'a que dix-sept ans, ensuite parce que, d'après Lotte, elle est vierge.

J'ai été tenté, ce jour-là, de mettre Nicolas à la porte, car j'étais presque écœuré. Dans sa naïveté, il ne me faisait grâce d'aucun détail. Il était sorti, le lendemain de Noël, avec les deux jeunes filles, et ils étaient allés dans un autre cinéma, le Familia.

— Cette fois, j'ai eu soin de prendre une loge. Tu comprends ?

Après quoi, il les avait emmenées à la pâtisserie manger des gâteaux qui leur avaient tenu lieu de dîner.

— Nous sommes entrés ensuite chez Charlotte et il nous a fallu plus d'une heure pour faire comprendre à Maud que nous avions envie de rester seuls. Je n'ai jamais tant regretté que tu ne sois pas là !

Il ne m'a rien laissé ignorer de ce qui s'est passé alors.

— Aujourd'hui, elles travaillent, et je leur ai donné rendez-vous à huit heures.

Je ne voulais pas en être. Non seulement j'avais encore de la température, mais je me refusais à une aventure ainsi préparée. En outre, peut-être avec l'idée de me décider, Nicolas avait prononcé un mot qui m'impressionnait. Il m'avait annoncé que Maud était vierge, ce qui m'interdisait de la traiter comme il traitait Charlotte.

J'ai dit non. Puis, comme il insistait, j'ai concédé :

186

— Si je me sens mieux ce soir, je vous rejoindrai peut-être.

— À huit heures, au coin du quai Saint-Nicolas !

Jusqu'au dernier moment, j'ai hésité. Puisque j'ai pris le parti de la franchise totale, je t'avouerai que Nicolas, par ses confidences, avait évoqué des images qui m'ont hanté toute l'après-midi, celle, entre autres, de Lotte, couchée en travers du lit et riant éperdument, d'un rire qui secouait ses gros seins roses.

J'en voulais à Nicolas d'avoir choisi la plus facile des deux.

Qu'importe ce que j'ai pensé cet après-midi-là, puisqu'en fin de compte, à huit heures, le col du pardessus relevé, j'atteignais le coin du quai Saint-Nicolas ? Ils m'attendaient dans l'ombre, tous les trois, et j'ai reconnu Charlotte à la description qui m'en avait été faite ; elle était de taille moyenne, boulotte, la poitrine forte, avec des cheveux frisottants qui s'échappaient de son chapeau. À côté d'elle, son amie paraissait petite, menue, peureuse.

— Je vous présente mon ami Alain, dont je vous ai parlé.

Malgré l'obscurité, je distinguais que le manteau de Maud était vert bouteille, orné d'un maigre col de fourrure. À ce moment-là, j'en ai eu pitié. Elle m'a tendu une main timide, toute froide, et je ne pouvais m'empêcher de penser qu'elle était là comme une victime qui m'était offerte.

— On ferait mieux d'y aller, mes enfants ! s'exclamait Nicolas.

— Où ?

— Au cinéma, parbleu !

J'étais choqué. C'était si évident, à l'entendre, qu'on n'allait au cinéma que pour l'obscurité !

— Tu sais, m'expliquait-il en chemin, tenant Charlotte par le bras comme s'ils étaient de vieux amoureux, tu fais mieux de prendre garde, car le père de Maud est sévère. Ce n'est pas vrai, Maud ?

Fier de sa familiarité avec elles, il jouait à l'« ancien ».

— J'aime mieux te dire tout de suite que c'est un homme pas commode. Il la croit occupée à faire sagement de la sténo chez Lotte et s'il se doutait…

Cela l'amusait, Lotte aussi, mais ni Maud ni moi n'avions envie de rire ; nous marchions à côté d'eux sans nous tenir par le bras, bien entendu, et nous n'avions rien à nous dire. Au cinéma, Nicolas et Lotte se sont mal conduits, exprès, et Nicolas se retournait de temps en temps sur nous comme pour nous encourager à les imiter.

— Ça va, derrière ?

Nous ne nous sommes pas parlé, Maud et moi, et, à l'entracte, quand nous sommes allés boire une limonade, elle a murmuré :

— Je crois que je ferais mieux de rentrer.

Je me suis demandé si je l'avais déçue ou si elle était aussi mal à l'aise que moi. Maintenant encore, je serais en peine de fournir une réponse à cette question. Les deux autres ont insisté pour qu'elle reste. Nous avons marché ensuite tous les quatre jusqu'à la porte des Malterre.

— Vous n'entrez pas un moment ?

Je fis non de la tête.

— Tu sais, m'avertit Nicolas, dans deux jours, il sera trop tard. La mère de Lotte ne sera plus de nuit.

Ils sont entrés et la porte de chêne s'est refermée, nous laissant, Maud et moi, sur le trottoir.

— Je vous reconduis ?

— Seulement jusqu'au coin du quai. Il ne faut pas qu'on nous aperçoive ensemble.

— Pourquoi ? À cause de votre père ?

J'ai remarqué une courte hésitation.

— Oui.

— Il est vraiment sévère ?

Elle n'a pas répondu. Nous nous tenions debout, au bord du quai, gauches, comme flottants.

— Vous savez, je ne suis pas comme mon ami.

— Je sais.

— C'est lui qui m'a presque forcé à venir…

— Oui…

— Mais, maintenant, je ne le regrette pas.

Elle m'a jeté, dans l'obscurité, un bref coup d'œil et a murmuré :

— Vous êtes gentil.

Pourquoi étais-je ému, soudain, alors que je ne la connaissais pas trois heures plus tôt et que je l'avais à peine regardée ?

— J'espère que je vous reverrai ?…

Dans mon esprit c'était une question, et elle n'y a pas répondu.

— Il est temps que je rentre. Bonsoir. Merci pour cette soirée.

— C'est moi qui vous remercie.

— Non, c'est moi…

Elle m'a tendu sa main toujours dégantée et froide et je n'ai pas osé la retenir dans la mienne.

J'ignorais encore que j'étais amoureux, mais je m'en suis rendu compte quand je me suis couché et que, le visage dans l'oreiller, il m'est venu l'envie de pleurer.

Je l'ai revue deux fois pendant les vacances de Noël, les deux fois avec Lotte et Nicolas; une fois, nous sommes allés au cinéma et l'autre, comme nous n'avions qu'une heure devant nous, nous nous sommes promenés dans l'ombre du parc où, à la fin, alors que nous marchions derrière les autres, j'avais la main de Maud dans la mienne.

— Quand repartez-vous pour Poitiers?

— Mercredi.

J'ajoutai, avec une hâte qui me surprit :

— Mais je continuerai à revenir à moto tous les week-ends.

— Je sais.

— Qu'est-ce que vous savez?

— Que vous revenez tous les vendredis. Vous oubliez que je travaille à la préfecture?

J'étais jeune, fils, presque aussi jeune que toi maintenant, c'est pourquoi je n'ose pas affirmer que je ne me suis pas trompé. Ce qui m'a ému chez elle, c'est cette humilité que je n'ai trouvée ensuite chez aucune femme et que je suis tenté d'appeler une humilité fière.

Plus tard, elle m'a avoué qu'elle était amoureuse de moi bien avant notre première rencontre et qu'à la préfecture elle me guettait par la fenêtre de son bureau. Elle n'avait pas espéré me connaître davantage, car j'étais à ses yeux un être quasi inaccessible.

— Tu comprends, à présent, pourquoi j'étais si gauche le premier soir? Nous t'attendions tous les trois depuis quelques minutes et, quand tu as tourné le coin, le col de ton pardessus relevé, j'ai compris que je ne serais pas capable de prononcer un seul mot. Tu as dû me trouver l'air bête, non?

C'est elle qui a découvert le moyen de nous revoir pendant les week-ends.

— Nous serons obligés de nous servir de Charlotte, car mon père ne me laisserait pas sortir sans elle. Je ne sais pas comment elle s'y est prise pour lui inspirer confiance : il croit tout ce qu'elle dit, alors qu'il me soupçonne toujours de mentir.

Je devais la retrouver, le samedi, à huit heures, au coin de la rue que Lotte habitait, et, en l'absence de Nicolas, qui ne revenait pas de Bordeaux chaque semaine, m'occuper des deux jeunes filles.

Trois semaines après Noël, en rentrant à la préfecture, vers minuit, j'ai aperçu la lumière sous la porte du cabinet de mon père et, après quelques instants, je lui ai dit d'un ton que je voulais léger :

— Je crois que je suis amoureux.

Il n'a pas tressailli, ni froncé les sourcils, ni souri, ce qui m'a rassuré, car j'appréhendais surtout un sourire. Il m'a regardé avec attention et je jurerais aujourd'hui qu'il a compris que c'était sérieux.

— À Poitiers?

J'ai secoué la tête.

— Ici, à La Rochelle?

— Oui. Elle travaille dans ce bâtiment même, à la préfecture.

À quel besoin répondaient ces confidences? Peut-être à celui de donner de l'importance à ce qui n'en avait pas encore, de me créer un témoin qui m'empêcherait de revenir en arrière?

Je n'avais pas l'attitude triomphante de Nicolas venant me parler de Lotte. J'étais grave et enjoué tout ensemble. C'était quand même encore un jeu.

— C'est une chic fille, tu verras.

Il repassait en esprit la liste du personnel.

— Je suppose que ce n'est pas Mlle Baromé?

— Je ne la connais pas.

— Une belle brune de vingt-cinq ans, une Corse, avec un soupçon de moustache.

Nous avons ri tous les deux.

— Non. Il est possible que tu ne la connaisses pas, car c'est une nouvelle qui travaille dans le service de Vachet. Elle s'appelle Maud Chotard.

Mon père n'a rien laissé deviner de sa contrariété.

— Une petite brune qui sort de l'école?

— Oui.

— Tu l'as rencontrée en ville avec des amis?

— Avec Nicolas, qui est l'amant de son amie.

J'employai exprès le mot « amant », pour marquer que j'étais devenu un homme.

— Et toi?

Je compris.

— Non. Moi pas.

J'ajoutai :

— Elle est vierge.

— Fais attention.

— Je n'ai pas l'intention d'y toucher. Je la respecte.

Est-ce que je m'imaginais rassurer mon père ? J'étais sincère. Je tenais à ce qu'il sache la vérité. Il se contenta de répéter gravement :

— Fais attention.

Après quoi, un peu plus tard, je crus remarquer une intonation nouvelle dans son :

— Bonne nuit, fils.

8

Je vivais les deux années les plus importantes, les plus pleines, les plus riches de ma vie et je n'en avais pas conscience, je ne l'aurais admis pour rien au monde, peut-être parce qu'il existait un trop grand écart entre ce que j'aurais voulu qui soit et ce qui était réellement.

Maintenant encore, l'éternel dialogue entre les hommes et la jeunesse me fait grincer des dents. Tu le connais. Toi aussi, je te vois te replier et rentrer, méfiant, dans ta coquille.

— Quel âge avez-vous, jeune homme ?

On répond à regret, parce qu'on nous a enseigné à être polis :

— Dix-huit ans, monsieur.

Cela ne rate jamais : l'interlocuteur s'exclame avec une bonne humeur forcée :

— Le bel âge ! Je donnerais cher pour l'avoir encore…

À quoi, le plus souvent, il ajoute, malicieux :

— … Et savoir ce que je sais.

Savoir quoi? Qu'aucune réalité ne répond et ne peut répondre à nos aspirations, à notre soif d'absolu? Comme si les jeunes n'en avaient pas déjà fait l'expérience!

On nous parle de l'âge innocent, alors que l'adolescent se débat avec des problèmes douloureux et sordides.

Il serait trop facile de parler des boutons qu'on se découvre en se rasant et que l'on considère comme une tare, de complets qui ne vont jamais tout à fait, des grands pieds dont on a honte.

On a faim de sublime, on le sent à portée de la main et, au moment où l'on va le toucher, il se dérobe pour une cause dérisoire, le plus pur élan est arrêté par un tabou stupide, ou simplement par un sourire ironique.

Pour moi, après quelques semaines, Maud, rencontrée dans des circonstances si banales, et qui me paraissaient après coup révoltantes, Maud, dis-je, était « ma femme » et je ne pouvais penser à elle autrement.

Qui donc était capable de le comprendre? Aux yeux de Nicolas et de Lotte, les seuls à nous connaître tous les deux, notre aventure n'était que le pendant de la leur, en plus naïf, en plus sentimental.

Que pensaient de nous ceux qui, dans l'ombre du parc municipal, nous voyaient marcher côte à côte, une silhouette dégingandée de garçon et une menue silhouette de fille, sans nous toucher au début, puis la main dans la main, enfin mon bras autour de sa taille et sa tête contre mon côté?

Deux jeunes amoureux comme les autres, qui cherchaient un banc désert, loin d'un bec de gaz, pour s'embrasser jusqu'à en perdre le souffle.

Or, les jeunes ne recommencent jamais ce qui a été fait, chacun à son tour recommence et recrée l'amour.

Mon père le comprenait-il ? Devinait-il pourquoi j'éprouvais le besoin de me confier à lui ? Il était indispensable que quelqu'un sache la vérité, sache que ce n'était pas une amourette sans lendemain, que je jouais le reste de ma vie et, un soir, je lui ai déclaré :

— Si j'étais obligé de renoncer à elle, je me tuerais.

Il y avait si peu de temps, à ses yeux, que nos courts entretiens étaient d'un ton indifférent ! Ils me reviennent tout à coup, brèves prises de contact, comme un coup d'œil lancé en passant devant une fenêtre, entre autres lorsque, au lycée, j'étudiais le XVIIIe siècle et que j'en avais parlé à table.

Le soir, dans son bureau, mon père m'avait demandé :

— Qui préfères-tu, Racine ou Corneille ?

J'avais répondu, catégorique :

— Corneille.

Cela ne l'avait pas surpris, je sais maintenant pourquoi.

— Que penses-tu de Molière ?

— Je viens d'étudier *Le Bourgeois gentilhomme* qui ne m'a pas fait rire… *Le Médecin malgré lui* non plus.

Une étape, en somme. Il y en avait eu d'autres. Plus tard, nous avions discuté de Lamartine et de Victor Hugo, d'un certain romantisme contre un autre, et j'avais été surpris de découvrir que mon père connaissait par cœur des centaines de vers de Hugo.

Pour lui – car le temps passe si vite avec l'âge –
ces conversations étaient d'hier. Or voilà qu'un grand
garçon maladroit venait lui annoncer qu'il préférerait
mourir que de renoncer à son amour. J'avais la gorge
sèche, les yeux brillants, et je ne me leurrais pas, je me
serais tué sans hésitation ni regret.

Je viens de passer vingt-quatre heures sans écrire et,
par hasard, il y a eu hier, à la maison, une des rares
scènes violentes, sinon la seule, à laquelle il t'ait été
donné d'assister. En tout autre cas, je ne la raconterais
pas car, pour employer à nouveau un terme dont je me
suis servi au sujet de la jeunesse, elle a été sordide, à
la fois ridicule, futile et sordide, et, si j'en parle, c'est
qu'elle vient à point pour illustrer l'attitude des aînés
vis-à-vis des jeunes.

Cela a commencé par ce que les Anglais appellent
« un beau ciel bleu ». Nous étions à déjeuner, vers une
heure, et il y avait du soleil, de la gaieté autour de la
table, Mlle Augustine avait sorti son géranium, je ne
sais plus de quoi nous parlions mais c'était anodin,
enjoué, quand ta mère a demandé, à ma surprise, car
j'oubliais qu'on était jeudi :

— Tu m'accompagnes chez ta tante, Jean-Paul ?

J'ignorais aussi que ma sœur recevait et je ne parti-
cipais qu'à moitié à la conversation. Tu as questionné :

— À quelle heure ?

— Vers cinq heures. Il y aura des gens que tu as
intérêt à connaître.

Je n'aime pas cette phrase-là; pourtant, je n'ai pas sourcillé et je n'avais pas l'intention de t'influencer. Tu as hésité, dans une attitude que je connais bien, la tienne et celle de tant d'autres de ton âge quand il est question, non de sauter un obstacle, mais de le contourner.

— Cela tombe mal, maman…

— Pourquoi?

— Parce que, cet après-midi, j'ai une composition de *maths* à préparer.

— Si tu t'y mettais tout de suite?…

Ta mère, depuis que tu es un grand garçon, est fière de te montrer. Je ne l'en blâme pas. Elle perd seulement de vue que ses amis ne t'intéressent pas nécessairement et que tu ne trouves aucun plaisir dans le milieu de ta tante et de ton oncle. Pour d'autres raisons, je m'y sens mal à l'aise, moi aussi.

— Je veux bien, maman, si tu y tiens, mais je t'assure que c'est difficile.

D'habitude, lorsqu'elle se rend à un des cocktails de ma sœur, ta mère ne rentre qu'à l'heure du dîner et, souvent, téléphone pour nous dire de nous mettre à table sans elle. Pourquoi est-elle revenue de meilleure heure et, peut-être, d'une humeur susceptible?

Elle a trouvé ton nouvel ami, Zapos, dans ta chambre, n'a fait aucune réflexion en sa présence, mais, à table, elle a donné libre cours à sa rancune.

— Tu sais, Alain, pourquoi Jean-Paul ne pouvait pas m'accompagner cet après-midi?

Il paraît qu'en ces circonstances, j'ai l'air d'un sourd.

— Tu m'écoutes ?

— Mais oui.

— Pourquoi ne dis-tu rien ?

— Parce que je n'ai rien à dire.

— Tu l'as entendu, à midi, parler de sa composition de mathématiques ?

— Oui.

— Tu sais ce que c'était ?

Tu es intervenu, doucement :

— Écoute, maman, laisse-moi expliquer à mon père...

— Il n'y a rien à expliquer. T'ai-je trouvé, oui ou non, avec ce nouveau camarade qui ressemble à un marchand de tapis ?

— Je...

— Avais-tu rendez-vous avec lui ?

— Je vais...

— Autrement dit, tu savais qu'il viendrait et c'est à cause de lui...

Puis, tournée vers moi :

— Ce qui me révolte, c'est son manque de franchise, sa façon glissante, insidieuse, de n'en faire qu'à sa tête. Et toi, tu es là qui le défends !

— Je ne le défends pas.

— Tu ne prends pas non plus mon parti. Tu trouves sans doute que c'est très bien ?

Eh ! non. La vérité, c'est qu'en mon for intérieur, je vous donnais tort à tous les deux, surtout à ta mère, parce qu'elle est une adulte.

Elle a oublié sa jeunesse, moi pas, c'est ce qui fait la différence entre nous. Je me suis juré, moi, solennellement, de ne jamais l'oublier, et je crois que, jusqu'ici, j'ai tenu parole.

— Il ment, il triche, il nous glisse entre les doigts comme une anguille et, pendant ce temps-là, tu es là qui le regardes et qui l'approuves…

Ta mère confond approuver et comprendre, ou encore absoudre. Elle a triché aussi, jadis, si elle ne le fait plus maintenant, comme j'ai triché, comme tous les jeunes trichent, sont obligés de tricher, « parce que tout leur est interdit ».

Chacun de leurs élans, chacune de leurs aspirations se heurtent à une barrière, à un tabou, à un « non » catégorique, et c'est nous qui les forçons à tricher.

Or, plus encore que les grandes personnes, les jeunes ont horreur de la tricherie, et ils nous en veulent de celles que nous les forçons à commettre, salissant leurs plaisirs les plus innocents.

Pendant les deux années que nous nous sommes connus, Maud et moi, nous avons dû tricher sans cesse, chacun de nos rendez-vous posait des problèmes que nous résolvions de notre mieux, à coups de mensonges.

Que serait-il advenu de nous si ce qui est arrivé à la fin de la seconde année – aux environs de Noël encore – ne s'était pas produit ? Continuerions-nous à nous aimer, ou bien serions-nous aigris après avoir suivi un temps des routes parallèles ?

Mon père, seul, a connu la vérité sur notre vie à deux car, de plus en plus souvent, j'avais besoin d'aller lui en parler, le soir, dans le calme de son cabinet.

— D'autres se moqueraient de moi ou me regarderaient d'un œil sceptique, et pourtant je sais, moi, que je n'aimerai jamais d'autre femme.

— Que comptes-tu faire, fils?

— L'épouser. J'attendrai le temps qu'il faudra. Je me rends compte que je ne peux pas me marier avant la fin de mes études. C'est dur!

— Ce sera dur, oui. Fais attention, fils.

Je savais à quoi il faisait allusion. Je lui avais déclaré qu'elle était vierge.

Il a fallu six mois pour que je lui avoue:

— Nous avons décidé qu'elle sera ma femme dès maintenant, tu comprends? Nous nous marierons plus tard, mais il ne nous est plus possible de vivre comme cela.

A-t-il été tenté de me faire changer d'idée?

— Il y a autre chose, ai-je ajouté. Pierre Vachet tourne autour d'elle. Il paraît qu'il agit de la même manière avec toutes les employées de son service. Peut-être se plaindra-t-il d'elle parce qu'elle l'a repoussé.

Mon père m'a donné des conseils, ce soir-là, les mêmes que j'aurai peut-être à te donner un jour, car je crois que j'agirais comme il l'a fait.

— N'oublie pas non plus que tu es le fils du préfet. Je me rends compte que, pour un jeune homme, c'est le contraire d'un avantage. On te surveille plus qu'un autre et trop de gens seraient ravis de voir éclater un scandale.

Ma vie se partageait entre Poitiers et La Rochelle et, à Poitiers, elle n'était consacrée qu'au travail. J'en arrivais à serrer les dents pour me libérer plus vite de mes études et j'ai décidé d'essayer deux années en une ; j'y suis parvenu.

L'hiver, l'obscurité nous rendait anonymes, mais, avec la belle saison, le problème de nos rendez-vous devenait plus difficile, nous attendions avec impatience que la mère de Lotte soit de garde la nuit, son père absent, pour nous rencontrer dans la petite maison à porte de chêne verni.

Tu dois savoir, à l'âge que tu as, qu'il n'y avait en nous aucune malpropreté, et cependant nous aurions voulu nous sentir plus purs ; cela nous choquait, certains soirs, de nous trouver dans une chambre, sous le regard de photographies inconnues, pendant que Lotte et Nicolas s'ébattaient en riant dans la pièce voisine.

Comment te décrire l'impression que j'avais auprès de Maud ? Certaines traces d'animaux, comme les écureuils et les oiseaux, nous touchent par leur gentillesse, par leur absence de défense qui en fait des victimes désignées.

Maud était ainsi et j'étais ému chaque fois qu'elle accrochait sa main à mon bras, comme si, depuis toujours, j'avais eu pour tâche de la protéger.

Son père, Émile Chotard, tenait un petit café au bout du port, « Chez Émile », où Porel, entre autres, tenait ses assises et où, au moment des grèves ou des élections, la police faisait de fréquentes descentes.

Chotard était court, le torse épais, les sourcils broussailleux, le regard dur et, comme Porel, encore qu'avec moins d'intelligence, il jouait les meneurs.

Je pense que c'était surtout un révolté. Sa femme l'avait quitté, alors que Maud était en bas âge, pour suivre un représentant en vins et spiritueux, et elle n'avait jamais donné de ses nouvelles, ni tenté de revoir l'enfant.

Ses bras musclés et velus toujours nus jusqu'aux coudes, Émile trônait derrière son comptoir de zinc, méfiant, agressif, englobant dans une même haine les riches, les puissants, la société entière, y compris ses plus humbles représentants, comme les agents de police.

Chaque fois que sa fille rentrait le soir, il la suivait dans l'arrière-salle pour la questionner, car il ne lui permettait pas de mettre les pieds dans le café.

— Tu es allée chez Lotte ?

Elles étaient censées passer leurs soirées à faire ensemble de la sténo et, une fois par semaine, Maud avait droit au cinéma.

Pendant deux ans, cet homme méfiant, pour qui le monde presque entier était l'ennemi, ne s'est douté de rien, n'a pas soupçonné mon existence.

C'était moi qui insistais auprès de Maud :

— Pourquoi ne veux-tu pas que j'aille parler à ton père ?

— Parce qu'il dirait non et ne me laisserait plus sortir.

Fils du préfet, j'étais un ennemi de choix et il est probable, en effet, que Chotard aurait enfermé sa fille plutôt que de la laisser sortir avec moi.

Je ne lui ai jamais parlé et n'ai fait que l'apercevoir à travers la devanture de son café. J'ai envie de te dire tout bas, très vite, une phrase qui m'est toujours restée dans la gorge : *Je me sentais, vis-à-vis de lui, comme un voleur.*

Un autre, jadis, lui avait volé sa femme et, à mon tour, je lui volais sa fille. Je ne pouvais pas me condamner, mais, si les relations entre hommes avaient été celles qu'à cette époque je rêvais qu'elles soient, je lui aurais demandé pardon.

Je ne le méprisais pas d'être une sorte de rustre agressif et c'était plutôt ma longue silhouette de fils à papa qui me faisait honte.

Je lui étais même reconnaissant d'avoir monté la garde autour de Maud, de continuer à la monter.

Mon père, je te l'ai dit, représentait à mes yeux l'ordre et les compromissions, les « arrangements » que cela comporte. Porel était l'anti-préfet, la rébellion systématique. Plus fruste, plus brutal, Émile s'en prenait indifféremment à tout le monde et m'aurait tué sans hésiter s'il m'avait surpris couché avec sa fille.

Maud avait peur de lui, mais connaissait, elle, une autre face de son caractère.

— Si seulement tu avais été un des jeunes ouvriers des chantiers Delmas et Vieljeux !

Mon père prévoyait-il que je n'éviterais le drame que de justesse, si je l'évitais ?

Il était presque un étranger parmi les siens depuis que ma mère, pour des causes mystérieuses, s'était retirée de la vie et que ma sœur était devenue une Vachet.

Je venais encore, moi, de temps à autre, lorsque j'étais à La Rochelle, le trouver, tard le soir, dans son cabinet.

— Toujours content ? me demandait-il.

— Oui, père.

Je croyais mentir. Je ne me sentais pas pleinement heureux. Il y avait trop de choses que j'aurais voulues différentes.

Je me revois, gauche et hésitant, devant lui, un samedi que les parents de Lotte n'étaient de nuit ni l'un ni l'autre.

— Je dois te demander une permission…

Il est possible qu'un jour tu visites cette préfecture qui a joué un si grand rôle dans ma vie. Il y avait deux cours intérieures et la seconde était close par un mur qui la séparait du parc municipal. Il existait, là, une petite porte. Il existait aussi, à mi-hauteur de l'escalier E, une pièce qui ne servait pas depuis longtemps et où, jadis, avait couché un gardien de nuit célibataire. Il y était resté un lit de fer, quelques meubles comme on en voit dans les chambres de bonnes.

— Si tu me laissais user de la petite chambre de l'entresol…

Il lui suffisait de me confier la clef de la porte du parc et de fermer les yeux, ce qu'il a accepté sans hésiter, et ainsi nous avons été débarrassés, Maud et moi, de la promiscuité avec les amours de Lotte et de Nicolas, qui donnait à nos propres amours un caractère vulgaire et déplaisant.

Ton grand-père n'était pas l'homme fatigué, amoindri, que tu as connu au Vésinet. Même si, à cause de ma mère, il avait renoncé à la Seine-et-Oise et à Paris, il n'en était pas moins considéré comme un grand préfet et, à cinquante ans, on n'est pas un vieillard.

Or, cet homme-là, à cause de moi, à cause de ce que d'autres auraient traité d'amourette, vivait comme sur de la dynamite et s'en rendait compte.

Pourquoi acceptait-il ce danger permanent, se contentant de m'observer avec inquiétude et de me donner des avis presque timides ?

Retrouvait-il, dans mon amour, celui qu'il avait connu jadis avec ma mère et auquel il restait fidèle ? Était-ce, pour lui, une seconde existence qu'il connaissait à travers moi ? Ou bien ne voulait-il pas risquer de me faire rater une chance de bonheur, si minime fût-elle ?

Qu'il ait existé entre nous une complicité tacite, je n'en doute pas. C'est pourquoi il a voulu prendre ensuite sur ses seules épaules toute la responsabilité de ce qui est advenu.

Il m'a été assez facile de te parler d'« après », de te parler d'« avant » ; maintenant que j'approche du noyau, des quelques jours, des quelques heures qui ont décidé de notre sort, je m'aperçois avec stupeur que mes souvenirs se brouillent, je ne suis plus si sûr de moi, du pourquoi ni du comment, comme si, dans l'action, lorsque nous perdons la maîtrise des événements pour en devenir le jouet, notre lucidité nous échappait.

Il me paraît que le mieux – et le plus honnête – est de te citer les faits dans leur ordre plus ou moins chronologique, sèchement, sans tenter de les expliquer ou de décrire mes états d'âme.

Cela a commencé un samedi soir, au début de décembre, dans la petite chambre de la préfecture que Maud et moi appelions notre cagibi. Les cours, les escaliers, les bureaux étaient déserts et chacun dormait dans l'appartement du premier, sauf mon père, car je voyais de la lumière entre les plis de ses rideaux.

Je me souviens que, dans la rue, derrière ma moto, Maud avait eu très froid, qu'elle avait oublié ses gants, que ses mains étaient bleues et que je les réchauffais dans les miennes.

Elle m'a dit, après une longue hésitation :

— J'ai peur de compliquer ta vie, Alain.

Et comme je me récriais, elle a ajouté :

— Je crois que je suis enceinte. J'en suis presque sûre.

Nous restions là, assis au bout du lit de fer, comme deux enfants terrifiés. J'étais ému, mais c'était la peur qui dominait et je n'ai pas protesté quand elle a continué plus légèrement, faisant la brave :

— C'est arrivé deux fois à Lotte en un an. Nicolas s'est chargé de tout et cela s'est bien passé.

Trois jours après, je quittais Poitiers pour rencontrer Nicolas à Bordeaux. Il ne pouvait pas venir à La Rochelle avant Noël. Il occupait une chambre dans le genre de la mienne, avec un abat-jour rose et, ce soir-là, il attendait une fille.

Avec lui, cela a paru simple. Il m'a remis une sonde vaginale, en m'expliquant comment s'en servir.

— Prends seulement garde de n'en parler à personne. Pour moi, étudiant en médecine, cela me vaudrait cinq ans de prison et l'interdiction de professer pendant le reste de ma vie.

Poitiers encore… La Rochelle le samedi soir… Lotte était au courant, mais sa mère n'était pas de garde la nuit…

— Vous serez mieux tous les deux à la préfecture…

Il y avait un brouillard glacé, jaunâtre, sur le port et la ville, et, à intervalles réguliers, le meuglement de la sirène de brume envahissait le ciel, venant du large, comme la clameur de l'océan.

J'ai dîné avec mes parents, car nous voulions que tout se passe en apparence comme d'habitude, ma mère immobile à un bout de table, ma sœur et Vachet discutant de critique littéraire. Le premier livre de ton oncle venait juste de paraître.

À neuf heures, nous entrions, Maud et moi, comme des coupables, dans le cagibi et je tremblais, incapable d'un geste précis.

— Tu es sûre que si j'allais voir ton père…

— Tu ne le connais pas, Alain.

— Je t'épouserais tout de suite. Je travaillerais…

— Tu sais bien que c'est impossible.

À onze heures, elle était morte dans mes bras.

Je ne te donne pas de détails. Je ne veux pas m'en souvenir. Mon père était dans son bureau et je ne suis pas monté le voir. J'ai pensé courir chercher notre médecin, le docteur Baille, qui était aussi notre ami, et j'entendais la sirène hurler dans la nuit comme la voix de la peur ou du désespoir.

J'ai attendu que la lumière s'éteigne, au premier, que mon père soit couché. Alors, j'ai saisi Maud dans mes bras et j'ai gravi l'escalier jusqu'à une lucarne dans le toit.

Il y avait, sur ce toit, un réservoir de près de deux mètres, doublé de zinc, qu'un préfet précédent avait fait installer pour une raison que j'ignore, peut-être pour garder de l'eau douce, ou pour se prémunir au cas où l'eau de la ville ferait défaut ? Je l'avais découvert, vers douze ou treize ans, et il m'était arrivé de m'y cacher.

Je n'ai pas glissé sur les ardoises humides, malgré mon fardeau, et je ne me suis pas écrasé sur le trottoir.

Quand je suis redescendu, sur la pointe des pieds, je n'étais plus un jeune homme, ni un homme comme les autres. Une voix, dans un couloir, m'a fait sursauter.

— Où vas-tu, fils ?

Mon père m'a suivi jusqu'au cagibi, en pyjama et en robe de chambre, et le désordre qui régnait ne permettait aucun doute sur ce qui s'était passé.

Il ne m'a pas adressé de reproche, ne m'a posé aucune question.

— Viens dans mon bureau.

Quelques braises rougeoyaient encore dans la cheminée.

— Il est impossible de revenir en arrière, mais nous pouvons encore faire en sorte que ta vie ne soit pas gâchée.

Je ne sais plus si je lui ai demandé pardon, si j'ai pleuré. Je sais seulement que je répétais :

— Appelle M. Dourlet.

C'était le commissaire central, chef de la police, que je rencontrais souvent chez mon père, un homme froid et pâle, aux épaisses moustaches grises.

— Appelle M. Dourlet! Je ne supporte plus de la savoir là-haut. Je me demande comment j'ai pu…

— Je l'appellerai tout à l'heure. J'ai vécu cinquante ans et beaucoup d'hommes meurent avant d'atteindre cet âge. Je n'attends plus rien, alors que tu n'es qu'au commencement.

Je ne comprenais pas et, marchant de long en large, ne pensais qu'à Maud dans le froid réservoir.

— Écoute-moi. Si tu t'accuses, tu feras d'un an à cinq ans de prison et, ensuite, toutes les portes te seront fermées. Pour moi, cela n'a plus d'importance. Laisse-moi suivre mon idée, fils. Va te coucher. Ne quitte ta chambre sous aucun prétexte.

Je continuais à me débattre, sans savoir que décider, quand la porte s'est ouverte. C'était ton oncle Vachet, le seul à avoir deviné ma liaison et à connaître – ce dont je ne m'étais pas douté – le secret de nos rendez-vous dans le cagibi.

— Vous ne pouvez pas faire ça, monsieur le préfet.

C'est ainsi qu'il appelait son beau-père.

— Je ne parle pas seulement pour vous, mais pour votre femme, pour votre fille, pour…

Pour lui, évidemment, qui n'allait plus être le gendre d'un préfet hors classe, mais le gendre d'un condamné à une peine ignominieuse.

Je le revois, rageur, me criant les mots au visage :

— Quand je pense qu'à cause de cette petite crapule…

Il a levé la main pour me frapper et c'est alors que mon père l'a giflé, d'un geste sec, comme sans colère.

— Sortez et veillez à vous taire. Les Lefrançois règlent leurs affaires entre eux.

J'étais toujours dans le bureau quand mon père a appelé Dourlet.

— Oui… Tout de suite, ici… Une affaire extrêmement importante…

Et, à moi :

— Va, fils !

Il était calme, méthodique.

— Cela arrive à des hommes de mon âge et de ma position aussi de perdre la tête et de faire des bêtises. Va !…

J'ignore comment j'ai gagné ma chambre.

À huit heures du matin, mon père pénétrait dans le bureau du procureur de la République, qui était un de nos commensaux, et, à neuf heures et demie, il envoyait chercher une valise avec des vêtements et du linge.

Il y a un article du code pénal, l'article 317, que je peux encore réciter par cœur :

« Quiconque, par aliments, breuvages, médicaments, manœuvres, violences ou par tout autre moyen aura procuré ou tenté de procurer l'avortement d'une femme enceinte ou supposée enceinte, qu'elle y ait consenti ou non, sera puni d'un emprisonnement d'un à cinq ans et d'une amende de 120 000 francs à 2 400 000 francs. »

Le nom de Nicolas n'a pas été prononcé, mais mon ami est resté un an sans remettre les pieds à La

Rochelle et je ne l'ai jamais revu. Je n'ai pas revu Lotte non plus.

Porel s'est emparé de l'affaire, transformée, entre ses mains, en affaire politique, avec un préfet au banc des accusés.

C'est à ce moment-là que ta grand-mère s'est réfugiée au Vésinet avec une bonne, tandis que Vachet, accompagné de ma sœur, se lançait, à Paris, dans la bagarre littéraire.

Mon grand-père, rue du Bac, ancien conseiller à la Cour des comptes, a-t-il soupçonné la vérité ? Depuis lors, et jusqu'à sa mort, il s'est montré aussi distant avec moi que si j'étais un étranger.

Mon père, parce qu'il a refusé de dire où il s'était procuré la sonde, a eu le maximum de la peine : cinq ans. Cependant, on ne l'a gardé que trois ans en prison où, la dernière année, on l'employait comme bibliothécaire.

C'est cet homme-là que tu as connu au Vésinet, que tu regardais avec ce que j'ai pris parfois pour une certaine irritation, et voilà pourquoi, fils, le matin où nous nous tenions debout tous les deux à droite de son cercueil, j'ai décidé de tout te dire.

Quel âge as-tu, au fait, en lisant ces lignes ? Probablement as-tu assisté à un autre enterrement, le mien, peut-être avec tes enfants à ton côté ?

Je vous ai fait beaucoup de mal, à tous, mais laisse-moi te dire un dernier mot : c'était à force de pureté.

Nous étions purs, Maud et moi.

Et mon père, qui vivait notre amour, était le plus pur des trois.

C'est à cause de cela, sans doute, qu'il a payé le plus cher.

N'y pense plus. C'est fini. C'est déjà une vieille histoire oubliée, même à La Rochelle.

Quoi que tu sois aujourd'hui, je te dis une dernière fois, doucement, calmement :

— Bonsoir, fils !

FIN

Golden Gate, Cannes, le 28 décembre 1956.

Le Livre de Poche s'engage pour
l'environnement en réduisant
l'empreinte carbone de ses livres.
Celle de cet exemplaire est de :
250 g éq. CO_2
PAPIER À BASE DE   Rendez-vous sur
FIBRES CERTIFIÉES   www.livredepoche-durable.fr

Composition réalisée par DATAGRAFIX

Achevé d'imprimer en mars 2013 en France par
CPI BRODARD ET TAUPIN
La Flèche (Sarthe)
N° d'impression : 72263
Dépôt légal 1re publication : mars 2013
LIBRAIRIE GÉNÉRALE FRANÇAISE
31, rue de Fleurus – 75278 Paris Cedex 06

31/7378/8